Bxx éditeur

Illustration de la page couverture :
*La Naissance des Dragons* par Sylvie Paradis

Conception de la page couverture : **Trucs Design**

# L'Étoile

conte initiatique pour adultes

par
Sarah Diane Pomerleau

Bxx éditeur

Du même auteur :

*L'Au-d'ici vaut bien l'Au-delà*, 1996, Samsarah International inc.

À paraître :

*Le Livre des Morts Occidental*,
rituels d'exploration du Passage de la Mort à la Vie Consciente

**BXX ÉDITEUR inc.**
Case postale 572, succursale Outremont
Outremont (Québec) Canada H2V 4N4
(514) 273-7326 • Télécopieur : (514) 278-6951
Courrier électronique : imo@total.net
Site Internet : http://www.bxx.com

**Diffusion en Europe francophone**
MULTILIVRES DIFFUSION, 8, rue Pache 75011 Paris France
Tél. : (01) 43 73 91 44 • Télécopieur : (01) 43 73 91 45

**Diffusion pour l'Amérique francophone**
LES DISTRIBUTIONS NOUVEL ÂGE (1990) INC.
Case postale 235, La Prairie (Québec) Canada J5R 3Y2
(514) 659-4716 / 1 800 561-4851 • Télécopieur : (514) 659-5149

Dépôt légal 3ᵉ trimestre 1997
Bibliothèque nationale du Québec
Bibliothèque nationale du Canada
ISBN 2-9803422-6-2

Imprimé au Canada

À la planète bleue,
ce coeur vivant nommé Terre

Remerciements :

à Marcelle Richard et Jean-Guy Auprix, qui m'ont
prêté leur chaumière au bord de la rivière où j'ai écrit
ce conte

à l'âme de tous les lecteurs et lectrices de *L'Au-d'Ici
vaut bien l'Au-delà* qui m'ont encouragée à
poursuivre sur la Voie de l'écriture

aux elfes farouches de ma forêt enchantée qui m'ont
accompagnée, tel qu'ils l'avaient promis, tout au long
de l'écriture de ce conte magique...

# Prologue

Certains, plutôt rares, viennent en ce monde en pleine possession de leurs capacités. Ils naissent gorgés comme des fruits mûris au soleil, débordant de liberté, de créativité et d'énergie. La vie n'a plus qu'à les cueillir... Ils sont inépuisables et fonctionnent sur un mode d'échange harmonieux avec leur environnement. Ils donnent généreusement avec grâce et naturel, davantage même que ce qui leur est demandé, sans jamais avoir le sentiment de perdre une seule parcelle de leur essence. Ils se sentent à l'aise sur Terre comme s'ils étaient chez eux depuis toujours.

Ils sont tels des phares guidant les bateaux... Leur magnétisme est puissant et leur présence, recherchée. Tous ont envie, sans savoir pourquoi, de se retrouver en leur compagnie, car leur simple contact les fait grandir. Auprès d'eux, chacun se sent devenir plus et aspire même à devenir davantage ce qu'il est réellement. Leur rayonnement permet l'éveil de la conscience, la libération du potentiel endormi de l'être et son éclosion au grand jour.

D'autres, au contraire, hélas plus nombreux, se demandent pourquoi ils sont venus en ce monde. Ils naissent, privés de soleil, avec la sensation étrange d'être emprisonnés dans un corps trop petit. La mort, qu'ils recherchent sans arrêt, leur semble plus familière que la vie. Ils se sentent toujours vides, impuissants, seuls. Ils ont l'impression désagréable d'avoir été exilés et abandonnés sur une planète hostile. Ils sont comme des enfants trop vieux, convaincus qu'il est trop tard pour transformer leur existence et que, de toute façon, ils n'ont pas la capacité de le faire.

Leur croyance en la souffrance chronique fait d'eux d'éternelles victimes à la recherche de portes de sortie d'urgence. Ils croient que le monde extérieur peut répondre à leurs besoins mieux qu'eux-mêmes. Lorsque tout va mal, ils s'empressent alors de blâmer les autres. Ils fuient leur incarnation, inconscients de leur choix primordial et de la responsabilité qui en découle. Ils ignorent qu'au coeur même de leur être, qu'ils croient coupé à jamais de son pouvoir et de sa nature divine, se trouve la solution d'une vie de plénitude. Jusqu'au jour où...

Ils décident de passer à l'action et de mourir. C'est le cas de l'héroïne de ce conte. Myram, après avoir choisi de mourir, se trouve confrontée à une surprenante découverte : la mort la conduit à la vie... Elle apprend, en compagnie de son guide Amor qui, en réalité, est une partie d'elle, à mourir... pour vivre.

La rencontre d'un phare lumineux, au milieu d'un océan où l'on se croyait perdu, est bien souvent le début du long processus d'individuation... du passage de la mort à la vie consciente.

Nous nous souhaitons tous la rencontre d'un tel phare...

## Première partie

# L'Au-d'ici

*10 janvier 1997        16 h 33*

Le soleil rose orangé descend rapidement
sur le faîte d'un sapin de l'Île, tandis que la
rivière transporte des débris de glace qu'elle
déversera sans se questionner dans les eaux
nordiques du fleuve. Pendant ce temps,
j'installe en moi le silence et je plonge à la
poursuite de mon soleil intérieur.

# 1 – La mer Morte

omme tous les soirs depuis quelques mois, Myram s'endort en pleurant. Sa vie n'a plus de sens. Du matin jusqu'au soir, elle a l'impression de «faire du temps».

Elle a presque tout perdu : son travail, son mari décédé, ses enfants à l'étranger... même son chat, Ulysse, n'a pas survécu à l'hiver... Il ne lui reste que la solitude et le silence désert de la maison, au milieu duquel elle ressent son vide intérieur et son impuissance...

Au coeur de l'âtre entouré de pierres solides, la braise rougeâtre, gardienne nocturne de la chaleur, fait craquer les murs et les planchers. Le bois pétille en écho en s'immolant à la nuit.

– Mon Dieu... Venez me chercher cette nuit... Je n'ai plus rien à faire ici... répète-t-elle tous les soirs, en guise de prière.

Ses larmes assèchent les ruisseaux de ses tempes comme les icônes de sel, la mer Morte. Derrière le rideau de ses paupières, des images de sa vie défilent inlassablement, certaines joyeuses, d'autres plus tristes.

– J'ai tout accompli... Venez me chercher, je vous en prie... insiste-t-elle, juste avant de s'abandonner dans les bras consolants du sommeil.

Ce soir-là cependant, le monde des rêves devait enfin répondre à sa demande d'une manière totalement imprévue. Le cours de son existence allait changer...

Et c'est ainsi que Myram, au fond du puits de sa vie, rencontra le désespoir et l'impuissance et demanda à mourir...

## 2 – Amor

La nuit s'est définitivement emparée de la maison et Myram respire à son rythme. Son âme voyage allègrement sur l'autoroute de l'inconscient. Soudain, une lueur étrange attire son attention.

– Qu'est-ce que cette lumière? se demande-t-elle.

Dévorée de curiosité, elle plonge, telle un cormoran dans l'océan cosmique, attirée comme un papillon par la luminosité. Plus elle se rapproche de cette lumière, plus elle discerne les contours d'une forme pyramidale scintillante en suspension dans l'espace.

Elle se pose au pied de la pyramide. Tandis qu'elle contemple l'immensité de ses arêtes, une porte se dessine soudainement sur l'une des faces et lui permet de pénétrer à l'intérieur.

– Bienvenue, Myram, je t'attendais, dit une voix qui semble occuper tout l'espace sans pour autant se rendre visible.

– Qui êtes-vous? s'informe-t-elle, étonnée.

– Ce n'est pas important pour le moment. Je suis le gardien de ce lieu, répond la voix. Tu n'as qu'à suivre mes indications.

La voix la guide à travers des dédales sans fin, des méandres, d'innombrables salles, de telle sorte qu'elle ne puisse plus reconnaître son chemin. Finalement, elle se retrouve dans une vaste salle dénudée mais somptueuse.

– Prends place au centre, invite la voix, ferme les yeux et recueille-toi quelques instants.

Le sol est fait de verre transparent et laisse passer des rayons de lumière vert émeraude qui irradient toute la pièce.

– Maintenant, tu peux ouvrir les yeux, commande doucement la voix.

Elle ouvre les yeux pour les refermer aussitôt. La lumière est trop forte et l'aveugle. Elle parvient au bout d'un moment à adapter sa vision à l'intensité lumineuse de l'être qui se tient assis tranquillement devant elle et la regarde avec sérénité.

– Tu m'as appelé, je suis venu, dit-il avec simplicité. Je m'appelle Amor et je suis ici pour te servir.

– Je ne comprends pas. Ce que j'ai demandé pourtant, c'est de mourir... rétorque-t-elle, un peu déboussolée.

– Je suis ici pour t'aider à te préparer à mourir... Qu'est-ce que la mort ? demande-t-il, en plongeant deux faisceaux de lumière vert émeraude dans les yeux vert océan de Myram.

– C'est la fin de tout. La fin de la souffrance, du désespoir, de l'impuissance... de la vie... souffle-t-elle avec lassitude.

Le silence de la lumière vibre de nouveau entre eux. Elle commence à percevoir une forme, à peine une silhouette assise devant elle. Un simple contour de lumière se dessine, rien qui puisse lui rappeler le monde connu. Pas de visage, pas de cheveux, pas de vêtements, aucun accessoire. Le dépouillement total.

Myram semble hypnotisée par cette vision. Elle n'arrive plus à prononcer un son, totalement absorbée par la présence.

– Je suis ton pareil de lumière, déclare-t-il au bout d'un long moment, aussi long que l'éternité. Je suis ton corps de lumière, ton véhicule dans cette « autre » vie que tu appelles la mort. Si tu acceptes, nous visiterons ensemble cet autre monde. Tu le connais déjà mais tu l'as oublié.

– Comment ceci peut-il se faire ? s'enquiert-elle, sceptique.

– C'est très simple. Il suffit de fusionner, répond-il avec naturel. Je te rencontrerai tous les jours et je t'enseignerai. Malgré la densité de son séjour terrestre, l'âme de Myram est devenue plus docile. Elle aspire sans résistance son double de lumière. Une chaleur intense la pénètre de partout et la fait vibrer tel le violon d'un virtuose. Une mémoire lointaine, aussi lointaine que l'éternité, se rallume en elle. Elle reconnaît le soleil vibrant, la chaleur, l'amour incommensurable qu'elle n'a plus goûté depuis le début des temps. Une profonde nostalgie cède la place à la joie pure des retrouvailles. Elle se laisse baigner toute la nuit dans les bras enveloppants de ce bien-être absolu comme un nourrisson qui s'endort sur le corps réconfortant de sa mère. Au petit matin, lorsque Myram sort du sommeil, elle constate que sa chambre est remplie de lumière éblouissante.

– Ouf? Quel soleil éclatant ce matin ! s'exclame-t-elle, en bondissant du lit, comme un félin qui s'éveille brusquement, surprise par un bruit insolite.

Et c'est ainsi que Myram rencontra, dans un lieu sacré, son pareil de lumière et apprit le dépouillement...

# 3 – L'annonce faite à Gabriel

*« Porter du bois...*
*Nourrir le feu...*
*Quelle merveille ! »*

Koan québécois

Ce matin, ses gestes ont une légèreté inhabituelle. Les flocons d'avoine semblent cuire plus vite. Même les quartiers de bois d'érable qui alimentent le foyer n'ont plus le même poids. Ses pas foulent le sol avec plus de délicatesse. Une étincelle de joie circule dans son corps et la surprend.

– Qu'est-ce que j'ai aujourd'hui? se demande-t-elle, en augmentant le volume de la radio, qui se met aussitôt à propulser *Les Quatre Saisons* de Vivaldi.

Elle est seule et pourtant, elle ne se sent plus seule. Comme si un plein s'était déversé dans son vide intérieur au cours de la nuit... Comme si une force inconnue avait surgi au coeur de son être... Après le petit déjeuner et un brin de ménage matinal, Myram s'empresse de s'emmitoufler chaudement pour sortir prendre l'air.

– De l'air! Ah! Le bon air pur! s'exclame-t-elle, en s'en remplissant les poumons.

Le pin japonais veille sur le ruisseau et abrite, sans se lasser, des mangeoires d'oiseaux abondamment fréquentées.

– Bonjour, Myram! jacassent les geais bleus, les mésanges et même un cardinal.

Myram est heureuse de marcher dans la neige poudreuse du matin. Elle accueille, sans trop chercher à comprendre, cet état de légèreté et de force intérieure qui contraste vivement avec son ressenti des derniers mois.

– Que se passe-t-il donc aujourd'hui? se demande-t-elle, en transportant quelques bûches de bois d'érable sec de l'abri à la maison.

De retour à la maison, elle passe au salon et s'assoit devant le feu pour quelques minutes de contemplation, son passe-temps favori. Elle valse dans les flammes dansantes, bien enveloppée dans son châle de cachemire aux couleurs du désert.

– Hum! Comme le temps passe vite! murmure-t-elle, en se laissant emporter par le feu.

C'est alors que la mémoire de la nuit dernière lui revient. Tel que promis, Amor est au rendez-vous, plus lumineux qu'hier.

– Me revoilà, Myram. Il était important que tu te souviennes de la nuit dernière avant cette seconde rencontre, lui dit-il d'emblée.

– Je viens tout juste d'en retrouver la mémoire. Je comprends pourquoi je me sens aussi légère depuis ce matin. Cela ne m'était pas arrivé depuis si longtemps... soupire-t-elle avec nostalgie, en songeant à la femme joyeuse et déterminée qu'elle avait toujours pensé être jusqu'à tout récemment.

– Avant de visiter les autres mondes, tu dois tout d'abord apprendre à mettre de l'ordre dans celui-ci, insiste Amor. Tout ce qui est en bas est comme tout ce qui est en haut. Tu ne pourras pas voyager bien loin si tu ne t'es d'abord libérée ici-bas. Je vais me fusionner à toi, chère âme, ce sera la façon la plus simple de te guider dans ce que je nomme l'espace du détachement. Recueille-toi et prends le temps de bien te centrer.

L'espace bascule soudainement. Elle se retrouve assise sur la terre séchée d'un site désertique, sous la voûte d'une nuit étoilée du Nouveau-Mexique. Ici, les flammes sont plus hautes, plus fortes, plus rouges que celles de l'âtre de son salon. Vivaldi s'est transformé en tambour navajo.

Les voilà qui arrivent, les uns à la suite des autres. Ils prennent place autour du grand feu. D'abord René, son mari décédé ; puis sa fille, Julia ; ensuite son fils, sa belle-fille et son petit-fils. Ils sont tous là, même Ulysse, le chat, tous ceux-là qu'elle aime, avec qui elle a partagé sa vie.

– Je m'en vais, mes chers amours... Je vous quitte à mon tour. Voici venu pour moi le moment du grand voyage... s'entend-elle leur annoncer avec émotion. Je vous ai réunis pour vous faire mes adieux et vous dire que je vous aime.

Le silence de la Terre s'unit à celui des étoiles. Seul le vent chaud du désert murmure son émoi en se faufilant entre les corps. Personne ne bouge. Les respirations sont retenues dans les coeurs.

– Mamie, je ne veux pas que tu partes ! lance Gabriel en venant s'asseoir devant elle, les joues ruisselantes de larmes.

Avec douceur, Myram essuie ses larmes du revers de ses belles mains fatiguées. Puis, elle prend les mains du jeune guerrier dans les siennes et laisse son regard plonger dans le raz-de-marée qui embue les yeux d'aigle de l'adolescent. Des ponts solides, lumineux, se tissent entre eux, au coeur, au front, au plexus...

– Cher Gabriel...

Une Étoile s'est posée là-haut, au-dessus de Myram. Un rayon de lumière dorée descend directement sur sa tête et illumine l'argent, l'or et le cuivre de ses cheveux. La lumière pénètre la couronne de Myram, irradie son visage puis tout son corps. Elle est transfigurée.

– Je t'aime tellement, mamie... ne peut s'empêcher de lui confier Gabriel, dont le corps tremble d'émotion.

– Moi aussi, je t'aime, cher amour... et je te libère, dit-elle doucement.

La lumière dorée émane maintenant des ponts qui la relient à lui. Petit à petit, la densité des ponts s'allège, devient de plus en plus fluide et transparente. Gabriel reçoit la lumière et s'apaise. Son coeur se calme et sa poitrine retrouve la paix. La lumière pénètre en lui et le remplit de chaleur aimante et de sérénité. Bientôt, Gabriel ne perçoit plus le corps de Myram. Ils ne perçoivent l'un de l'autre que cette lumière provenant de l'Étoile.

– Tu vois... nous ne sommes pas séparés, dit une voix à travers Myram. Tu n'auras qu'à demander l'Étoile, et nous serons réunis. Tous les autres sont partis. Gabriel quitte les lieux à son tour en ne laissant derrière lui qu'une poudre de particules de lumière dorée. L'Étoile s'est éloignée. Myram demeure seule avec le feu.

Dans le salon, le vent chaud du désert se faufile entre les meubles en murmurant son émoi. C'est l'heure d'ajouter un morceau de bois de bouleau au feu. La braise vive réchauffe le visage de Myram et ranime les dernières paroles d'Amor :

– ... et tu feras ainsi avec tous ceux et celles que tu aimes.

**Et c'est ainsi que Myram apprit la fluidité du détachement dans l'espace de ses attachements...**

« ...seul le vent chaud du désert murmure... »
*Sylvie Paradis 1997*

*11 janvier 1997*          *14 h 32*

Les plaques tectoniques de glace glissent sans s'entrechoquer sur la rivière non encore gelée. Les tourterelles font semblant de dormir dans leur nid de neige sous le cèdre. J'ai remarqué que la Terre s'est penchée sur elle-même, car l'an passé à pareille date, le soleil se couchait un peu plus loin sur l'Île. Comme Gaïa, je descends profondément en moi et je change d'axe.

# 4 – L'Enfant Divin

**A**llô!
–

– Myram? C'est moi! Comment vas-tu?

Comment ose-t-elle demander comment je vais?!! se questionne Myram, courroucée.

– Comme d'habitude, maman! rétorque-t-elle avec impatience.

– Moi, j'ai mes rhumatismes qui me font mourir.

Et voilà, c'est reparti! Myram écoutera activement pendant au moins une heure cette femme qui ose encore réclamer toute son attention parce qu'elle a eu la «générosité» d'être sa mère. Cette mère froide et craquante comme de la glace qui l'a toujours tenue à une distance respectable de son corps et de son coeur. Myram lui en veut encore, mais ne trouve jamais le courage de lui exprimer ses vraies émotions. Elle demeure impuissante et paralysée devant elle, comme lorsqu'elle était enfant.

Elle s'installe sur le fauteuil blanc et laisse son regard s'accrocher au paysage, pendant que sa mère lui raconte ses derniers malheurs. Malgré son irritation croissante, elle commence à ressentir la vibration de son guide qui pénètre doucement dans la région de son coeur. À travers les propos larmoyants de sa mère, elle saisit au vol quelques mots d'Amor, des mots essentiels.

– Myram, je suis là. Je suis avec toi, insiste-t-il. Ouvre ton coeur, chère âme. Fais-moi un peu de place...

Soudain, elle voit surgir une petite fille qui émerge de la rivière et s'accroche à la berge. Elle lutte, se relève et vient tout droit vers elle. Plus l'enfant s'approche, plus ses traits se précisent et... Myram se reconnaît.

– Mais c'est moi lorsque j'avais huit ans! ne peut-elle s'empêcher de s'écrier. La fillette passe à travers la fenêtre et vient s'asseoir sur la banquette en face d'elle. Elle semble timide, mal à l'aise et se tortille pour trouver une position confortable. Son mince sourire et ses grands yeux verts tristes occupent tout l'espace de son visage.

Myram l'observe en silence. Son coeur se gonfle d'émotions et déborde dans ses yeux. Elle craque, prend l'enfant dans ses bras et la serre très fort sur son coeur.

– Qu'est-ce qu'on t'a fait, ma chérie, pour que tu sois aussi triste? demande-t-elle à l'enfant muette, vulnérable, privée de force et d'énergie.

Timidement, la petite reprend sa place. Malgré la douleur de son coeur blessé, Myram se laisse aller à l'observer avec tendresse. Ses soleils d'énergie sont presque tous éteints. Il ne lui reste plus qu'un filet de lumière vacillante au front et sur la tête.

Des images de son enfance se mettent à défiler à la vitesse de la lumière et l'amènent au tout début de sa petite enfance alors qu'elle avait à peine quelques mois. Le film de ses mémoires s'immobilise sur l'image d'un poupon de six mois qui éclate de joie en agitant avec frénésie ses petits membres.

– Quel magnifique bébé! s'exclame Myram en riant, les larmes aux yeux, se souvenant de la puissance lumineuse qui l'habitait alors.

Le bébé de lumière rose lui tend les bras. Ses yeux étincelants rient aux éclats. Quel choc lorsque Myram le prend entre ses mains! La tristesse s'efface sous le raz-de-marée de joie pure qui remplit tout son être. Elle ressent une énergie toute céleste entre ses mains, comme une fraîcheur divine à peine descendue du ciel, d'une puissance telle qu'elle en est profondément émue.

– C'est moi, ce bébé lumineux?! J'ai déjà été cette enfant remplie de joie, de lumière, de force?! se demande-t-elle, incrédule.

En rapprochant le petit corps de lumière près du sien, Myram se laisse vivre le mouvement naturel de son âme et l'intègre dans son coeur. Elle se fusionne intensément à cette enfant divine qu'elle fut. Le choc du contact est si fort que tout son être tremble. Elle se sent enceinte de nouveau, enceinte de lumière. L'enfant de lumière grandit en son sein et occupe avec force tout l'espace de son corps.

– Quelle béatitude! songe-t-elle, en s'abandonnant à la fusion.

Tout en continuant à s'intégrer elle-même, elle reporte son regard vers la fillette. Celle-ci l'observe à son tour, totalement absorbée par ce qu'elle vient de voir. Un sourire d'espoir se dessine sur son visage couvert de taches de rousseur et ses yeux s'illuminent. Les radiations contagieuses du bébé viennent de l'atteindre et elle se laisse bercer par les rayons de lumière qui émanent de Myram.

Au même moment, surgissent de la rivière d'autres êtres. Des garçons et des filles, des hommes et des femmes par dizaines. Ils se dirigent sans hésiter vers la source d'émanations lumineuses. Myram reconnaît quelques-unes de ces femmes, certains de ces hommes. Sa mère, sa grand-mère, son grand-père, des générations de femmes et d'hommes s'avancent en compagnie des enfants qu'ils ont été. Tous ont soif de lumière et s'abreuvent à la joie.

– Chers ancêtres, je porte en mes cellules votre héritage. Je suis l'héritière de votre tristesse, de votre créativité étouffée, de vos peurs, de votre soumission, de votre impuissance, leur dit-elle avec passion. Vous m'avez transmis des siècles d'aberration et d'ignorance. Vous m'avez légué vos prisons. Aujourd'hui, c'est la fin du cycle! Je le brise en vos noms! Réjouissez-vous et célébrez, chères âmes de mes ancêtres!

– Myram... Myram, m'entends-tu? répète la voix de sa mère depuis 30 secondes.

– Oui... Oui, je t'entends... Ma petite maman... répond une autre voix, rescapée de la rivière. Le paysage scintille de milliers de diamants que le soleil est venu déposer sur la neige. La rivière glisse innocemment dans son lit comme si rien n'était arrivé. Myram respire la paix à travers le récepteur téléphonique.

– Je trouve tout de même que tu as l'air beaucoup mieux que la dernière fois, conclut la mère en laissant percer à travers ses paroles un élan de tendresse qui met fin à son monologue. Je dois te laisser maintenant. Au revoir.

– Au revoir, Rose, répond Myram avec douceur. Je t'aime... lui déclare-t-elle en silence.

Elle s'enveloppe dans sa couverture rose de laine mohair, dépose les pieds sur le manteau du foyer et ronronne comme un chat heureux. Myram ressent dans tout son corps la vibration chaleureuse de son guide. Puis, il rassemble ses particules de lumière et prend forme à côté d'elle pour lui parler.

– Explique-moi ce qui vient de se passer, Amor, demande sa voix câline de petite fille.

– Les ressentiments que vous avez, chers adultes de la Terre, ne sont que des masques sur les blessures de l'enfant que vous portez en vous. La vraie douleur ne se passe pas entre les grands, mais entre les petits en vous, qui ont grandi sans guérir et sans devenir ce qu'ils auraient dû être. Tu viens tout simplement de rencontrer ton enfant blessée, coupée de son pouvoir. Mais le plus magique, c'est qu'en même temps tu as rencontré ton enfant de lumière, ton enfant divin et tu t'es fusionnée à sa force.

– Quel bonheur ! ne peut s'empêcher de s'exclamer Myram, avec un air de béatitude évident.

– En te guérissant toi-même, en te reconnectant à ta divinité, tu as contribué à guérir et à libérer de toi l'héritage cellulaire de ta lignée généalogique, lui déclare fièrement Amor. Myram, comme bien d'autres, tu as choisi cette vie pour briser les cycles de transmission de l'ignorance et de l'inconscience humaine. Tu te libères d'un fardeau, d'un héritage dont tu ne veux pas et que tu n'as surtout pas envie de transmettre aux générations futures. Ton action aura des répercussions sur les générations à venir... tu verras...

Et c'est ainsi que Myram apprit la libération dans l'espace de ses ressentiments...

# 5 – Les multiples visages de Dieu

yram décide de consacrer quelques heures par jour à mettre de l'ordre dans les affaires de la maison, en résonnance avec les enseignements de son guide. Elle range bien soigneusement les boîtes remplies des objets qu'elle désire conserver et, par le fait même, se départit allègrement de tout ce qui n'a plus d'importance pour elle.

Le butin, amené au village, est plutôt généreux. Elle donne des montagnes de livres, de vêtements et de mobilier, à des personnes qui sauront les utiliser mieux qu'elle. Elle ne conserve que quelques trésors personnels qui n'ont d'attrait qu'à ses yeux, tellement ils semblent insignifiants. Ce sont généralement des souvenirs glanés au cours de ses voyages ou des cadeaux reçus d'amis chers.

– Tiens, je t'avais oublié, toi! dit-elle à un prisme de cristal qu'elle vient de retrouver au fond d'une étagère, dans la cave aux trésors.

Elle le dépose machinalement sur un tabouret au centre d'une des pièces légèrement humides du sous-sol, puis l'oublie, poursuivant ses opérations dans la pièce voisine. Absorbée dans son remue-ménage, elle ne remarque pas l'arrivée d'Amor et l'intrusion de filets de lumière dans son recoin poussiéreux. Soudain, elle est tirée de ses rêveries du passé par un rayon plus insistant que les autres. Elle suit la piste et perçoit un léger murmure, comme un mélange de voix qui se bousculent de l'autre côté de la porte.

– Que se passe-t-il dans mon sous-sol? se demande-t-elle, piquée de curiosité.

Elle pénètre dans la pièce, dont les murs, le plancher et le plafond sont couverts de facettes de cristal, toutes plus colorées et brillantes les unes que les autres.

– Je rêve ou quoi? s'exclame-t-elle finalement à voix haute.

– Non, tu ne rêves pas, Myram. Regarde bien autour de toi... les facettes sont toutes habitées, lui répond la voix d'Amor.

Elle se met à faire le tour des facettes, qui prennent l'apparence de miroirs lorsqu'elle s'en approche. Dans chacune d'elles danse une forme ou un visage. Elle reconnaît des visages d'enfants, de vieillards, d'hommes et de femmes de toutes races et de toutes couleurs. Elle perçoit également des dieux, des déesses, des planètes, des animaux, tous plus fantastiques les uns que les autres. Il y a aussi des monstres, des paysages de désolation, des êtres en souffrance, des êtres de misère. Son coeur passe par toutes les émotions au fur et à mesure qu'elle change de tableau. D'une clarté limpide, les images se déroulent à une vitesse délirante. Comme si chaque miroir devenait une plaque de projection cinématographique. Myram a bientôt le vertige et s'allonge sur le sol.

– Ouf ! Je suis étourdie ! lance-t-elle en balbutiant.

Au même moment, à l'unisson, les facettes se mettent toutes à refléter son image. Une gigantesque projection d'elle-même vient de prendre place autour d'elle et l'enveloppe.

– Qu'est-ce que ça signifie ? demande-t-elle, certaine que l'on va lui répondre.

À présent, les images diverses alternent avec sa propre image, tel un kaléidoscope. Seule la vitesse a ralenti.

– Tout est bien, Myram. Tout est divin, chante la voix d'Amor provenant cette fois de l'intérieur d'elle-même. Tu contemples en ce moment les multiples visages de Dieu.

– Alors, pourquoi moi ? Pourquoi mon image dans ces miroirs ? s'enquiert-elle, d'une voix plus qu'incertaine.

– Apprends à reconnaître que tu es Dieu. Tu es l'un des visages de Dieu, poursuit Amor, tout comme l'enfant du Rwanda qui pleure sa faim... ou la baleine traquée par les baleiniers scandinaves, russes ou japonais, qui crie son désespoir à la Terre. Tu es aussi divine que le Grand Canyon et aussi splendide que le Taj Mahal au lever du soleil.

– Tu dois m'aider. J'ai un peu de difficulté à accueillir tout ceci... balbutie-t-elle, la gorge serrée par l'émotion.

– Je comprends. Sur Terre, dans ton monde, il est difficile d'accueillir les aspects sombres et les aspects lumineux de soi-même en même temps, continue Amor avec sérieux. L'on préfère être l'un ou l'autre ; c'est moins exigeant. Ceci est un conditionnement bien terrestre, ce n'est pas la vérité de ton essence. La vérité de ton essence, c'est que tu es l'univers et que tu le portes en toi tout comme il te porte en lui totalement. L'univers ne se demande pas s'il doit porter seulement tes yeux et ton coeur, non, il te porte toute entière.

Ces mots à peine prononcés, des rayons multicolores se mettent à émaner de chacun des miroirs et se dirigent vers le corps de Myram. Comme des rayons de soleil, elle les sent pénétrer dans chacune des cellules de son corps. Les images qui, tout à l'heure, se bousculaient dans sa tête, se sont calmées comme le vent après une tempête de sable. Une gigantesque boule de lumière dorée leur succède et prend maintenant toute la place en elle. Le coeur de cette sphère s'est logé dans son plexus, de soleil à soleil. Il émane de ce centre une douce chaleur vibrante qui la berce avec tendresse.

Myram ouvre les yeux. Les miroirs ont disparu. Le prisme aussi. Elle sait qu'il se trouve en elle, en son centre, pour réveiller sa mémoire lorsqu'il le faudra.

Elle monte au rez-de-chaussée afin de préparer son repas. En haut de l'escalier, elle s'arrête un instant devant le miroir. L'éclat de ses yeux et la couleur de sa peau la font éclater d'un rire joyeux, libérateur, incontrôlable. Quel âge a-t-elle? Elle ne le sait plus.

– Je crois que je deviens immortelle, lance-t-elle joyeusement en ouvrant la porte du réfrigérateur.

– Non seulement tu deviens immortelle, Myram, mais tu commences à t'aimer toi-même et à ressentir ta force intérieure, lui répond Amor. Voilà ton plus grand défi : aimer toutes les parties de toi, les plus sombres et les plus lumineuses. T'aimer comme Dieu t'aime, sans jugements, sans conditions. T'aimer comme je t'aime, chère âme...

Et c'est ainsi que Myram
apprit à s'aimer dans l'espace
de ses miroirs...

# 6 – L'Ascension

L orsque Myram eut complété le grand ménage de la maison, elle décida de goûter et d'honorer l'environnement qu'elle adorait. Ainsi, un matin, elle se rend à la montagne à l'heure du soleil levant. Bien qu'enneigé, le sentier est praticable. Le temps est doux. Les arbres sont chargés d'amoncellements de ouate blanche qui courbent leurs branches.

– Quelle beauté, ce matin! ne peut-elle s'empêcher de leur dire.

Le sommet de la montagne est accessible en moins d'une heure. Le soleil est déjà tout rose et tout rond à l'horizon lorsqu'elle complète son escalade. Elle prend le temps de s'asseoir confortablement sur un rocher et de reprendre son souffle.

– Quelle merveilleuse vallée! pense-t-elle pour la millième fois.

Elle ne se lasse jamais de contempler le paysage vu du sommet et de laisser porter son regard aussi loin que le temps le permet. Chaque fois, elle a l'impression de s'élever au-dessus du quotidien, des soucis, des tracas du monde tel qu'il est.

Alors qu'elle contemple la magnificence du paysage ensoleillé du matin, elle se sent tout à coup s'élever au-dessus de son corps qu'elle peut observer... en train d'observer. Ce n'est pas une nouvelle sensation sauf qu'elle décide habituellement de réintégrer son corps tout de suite.

– Et si je continuais à m'élever? se dit-elle. Je me demande bien ce qui pourrait arriver...

– Tout peut arriver... répond la voix mystérieuse d'Amor, derrière elle. Voilà l'aventure, voilà l'inconnu.

Elle se retourne vivement et aperçoit Amor assis sur une plate-forme de verre.

– Que fais-tu là ? demande-t-elle, une fois remise de sa surprise, rassurée par la présence connue de son guide.

– Aujourd'hui, je suis le portier de l'ascenseur, répond-il en riant. Je t'invite à te joindre à moi : je te ferai découvrir mon univers.

Elle hésite quelques secondes mais en voyant sa bonhomie, elle ne peut qu'accepter. Elle prend place avec lui sur la plate-forme translucide, à travers laquelle elle peut regarder son corps, bien assis sur le rocher, à contempler la vallée.

– À plus tard, lance-t-elle à son enveloppe physique.

Ils décollent rapidement. Elle voit les images se succéder à un rythme effréné. D'abord la Montérégie, puis le Québec, l'Amérique du Nord, l'autre Amérique et finalement, la planète bleue, telle que les astronautes nous la retransmettent par images satellites. Elle est sidérée devant ce spectacle grandiose et émouvant. Ils restent là, en suspension dans le vide, à contempler la Terre.

– Voici ta planète bien-aimée, celle que tu as choisie avant de t'incarner cette fois encore, lui dit le portier à la voix complètement transformée.

Elle regarde Amor à travers ses yeux embués de larmes. Il s'est métamorphosé en un personnage beaucoup plus grand aux yeux bleus, du même bleu que la planète. Il émane de lui une lumière toute aussi bleue qui la remplit de Paix.

– Qui es-tu ? demande-t-elle de nouveau.

– Je suis toujours le portier mais ce sont tes yeux qui me voient différemment. Ton regard a changé, Myram, et il continuera de changer... lui répond-il mystérieusement.

La Terre tourne lentement sur elle-même et pulse au rythme des battements du coeur de Myram. Elle voit des fils de lumière se tisser entre elle et la planète, en signe d'appartenance. Elle les sent partout : au coeur, aux mains, au ventre, aux pieds, partout.

– Comprends-tu pourquoi certains l'ont surnommée la Terre-Mère ? demande-t-il. Elle s'offre toute entière à vous,

vous abreuve, vous nourrit, vous soigne, vous amuse, vous instruit, vous accueille en son sein lorsque vous mourez, sans demander quoi que ce soit en retour. Et vous, que lui offrez-vous ? Pour la majorité d'entre vous, indifférence ou destruction. Pourtant, elle continue à vous porter sans juger... Mais pour combien de temps encore ?

Myram écoute en silence, subjuguée par la vision de la Terre, le coeur débordant d'amour pour elle.

– Prépare-toi à poursuivre... nous reviendrons, ordonne le portier avec une douce fermeté qui la tire complètement de ses réflexions.

La plate-forme poursuit son ascension dans la nuit noir bleutée de l'espace. Les étoiles ne sont plus cette voûte, en apparence statique, vue de la Terre, mais s'offrent aux voyageurs tels des arbres bien vivants dans une forêt enchantée.

– Regarde plus bas, Myram ! dit le portier.

– C'est notre système solaire ! constate-t-elle avec stupéfaction. J'en ai le vertige ! Nous sommes déjà ici !

La Terre n'est plus qu'une petite bille dans la grande mosaïque tournoyant sagement sur elle-même autour du grand soleil. Les fils de lumière qui l'unissent à Myram sont devenus presque imperceptibles.

– Je me sens comme une astronome qui découvre pour la première fois un système solaire ! s'exclame-t-elle, comme une enfant émerveillée.

– Tu es une astronome, Myram, ne l'oublie plus, reprend le portier Amor. Les savants de ton monde ont mis bien du temps à comprendre ce que tu viens d'expérimenter en quelques minutes. Et même, ils ne le comprennent pas comme toi. Ils essaient encore de trouver des explications logiques et rationnelles à l'univers, qu'ils pourraient vérifier à l'aide de leurs instruments technologiques. D'autres avant toi, et en même temps que toi, ont expérimenté ces voyages... et de plus en plus des tiens les expérimenteront. Myram contemple la merveilleuse orchestration du système solaire qui s'offre à sa nouvelle vision. Les engrenages sont parfaits comme si une main de virtuose avait accordé les notes pour l'éternité. Mercure, Vénus, Mars, Jupiter, Uranus, Saturne, Neptune, Pluton et quelques autres la saluent. Elle sent les correspondances de ses soleils d'énergie avec chacune de ces planètes, chacun de ces satellites. Elle n'est plus seule, elle fait partie de l'univers. L'une après l'autre, les planètes se rapprochent et viennent s'installer dans ses soleils. Elle fusionne au système entier et se berce dans l'espace infini sous le regard amusé des étoiles.

— Myram, en ce moment, tu expérimentes le Tout qui est Un. L'univers est en toi et toi en lui. Il n'y a pas de séparation entre les mondes, continue le portier. Ton corps physique est en bas, bien assis sur la montagne, alors que tout le reste de ton être est en fusion réelle avec le système solaire. Ta véritable nature est fluide et omniprésente, chère âme.

— Suis-je morte ? demande-t-elle abruptement.

Le portier éclate d'un grand rire de cristal qui vient chatouiller les étoiles.

— Non, Myram, tu n'es pas morte. La mort n'existe pas. Tu es immortelle. La vie est éternelle et continue. Seules les formes changent. La vie est une éternelle transformation, répond-il avec sagesse.

— Veux-tu dire que je pourrais choisir de poursuivre mon voyage maintenant, ici, et ne plus retourner dans mon corps sur la montagne ? s'enquiert-elle, plus sérieusement.

— Certes, tu pourrais le choisir. Mais tu n'as pas tout à fait complété ton séjour sur la planète bleue. C'est une entente que tu as prise avant cette incarnation. Tu peux toujours rompre le contrat mais...

— Mais ?

— Mais je te parlerai de ceci une autre fois, coupe-t-il, pour changer de sujet. Regarde au-dessus de toi maintenant. Observe les étoiles, les nébuleuses, la voie lactée. Au-delà de tout cela se trouvent d'autres systèmes solaires, d'autres soleils, d'autres galaxies, d'autres univers, d'autres dimensions.

Myram est de nouveau absorbée par la contemplation des espaces infinis qui s'offrent à elle. Elle se sent tout à coup si petite, si vulnérable devant l'immensité de cet univers sans fin.

– Tous ces univers sont à découvrir si tu le choisis, poursuit-il. Tu n'auras qu'à le désirer sincèrement dans ton coeur. Et le plus merveilleux, c'est que tu as appris aujourd'hui comment le faire tout en demeurant bien enracinée sur Terre.

– N'y a-t-il pas le risque de ne plus vouloir revenir? Tout est tellement plus fabuleux ici que là-bas, dans notre monde de guerres, de famines, de pouvoir abusif et de haine! demande-t-elle davantage pour se rassurer elle-même que pour s'informer.

– Il y a certainement ce risque... Mais il y a aussi la maturité de ton évolution qui se fait à travers ceci, reprend-il pour la rassurer. Il y a surtout le but ultime de ces voyages, un but bien au-delà du narcissisme et du voyeurisme de ta petite personne. Ce but, Myram, tu le découvriras bientôt, c'est de ramener l'amour, la paix, la joie, la lumière sur la planète, qui en a grandement besoin. D'autres comme toi auront le même but. Tu les rencontreras sous peu. Vous vous reconnaîtrez. Certains viendront même à toi pour que tu leur enseignes à voyager jusqu'ici et bien au-delà. Mais d'abord, tu dois toi-même découvrir ces mondes et y faire ton apprentissage car tu ne pourras donner que ce que tu auras toi-même appris. C'est l'heure, Myram, nous devons redescendre, ton corps t'attend.

La plate-forme les ramène par le même chemin, comme pour le Petit Poucet. Les fils de lumière des soleils de Myram s'avèrent de précieux repères pour le retour. Le portier la dépose au-dessus de la montagne. Elle a à peine le temps de le remercier qu'il a déjà filé tel une comète et s'est dissous dans le ciel bleu. Myram s'approche de son corps et se faufile gracieusement dans le soleil au centre de sa tête.

– Brrr! Je commence à avoir froid. Il est temps de rentrer, se dit-elle joyeusement. Merci, Amor! À la prochaine!

Elle descend le sentier en gambadant comme une chèvre de montagne. Son estomac gargouille pour lui rappeler que le soleil en dedans, au centre de son estomac, est affamé.

– Nous nous reconnaîtrons... répète-t-elle.

Elle ne peut s'empêcher de rire en songeant à la tête qu'ils auront...

**Et c'est ainsi que Myram apprit à ascensionner, par l'expansion de sa conscience dans les espaces de l'Au-d'ici et de l'Au-delà, dans la non-séparation...**

«Ascension»
*Sylvie Paradis 1997*

## Deuxième partie

# L'Au-delà

*12 janvier 1997        11 h 44*

Le froid cinglant tente de congeler définitivement la rivière. Les plaques de glace se rapprochent de minute en minute. Demain, la glace donnera l'illusion de la Mort et de l'Immobilité. Mais la rivière n'est pas dupe. Elle suit son cours souterrain vers le fleuve, car son but ultime est l'océan illimité. C'est là son secret, c'est là sa force.

« Les êtres éveillés n'oublient jamais de se souvenir de la mort, même lorsqu'ils célèbrent leur vie. Ils peuvent vraiment célébrer leur vie parce qu'ils connaissent tout à la fois : la vie ET la mort. Plusieurs parmi nous ne connaissons que la vie OU que la mort. Lorsque vous connaissez la vie ET la mort, vous pouvez rire et pleurer en même temps tout en demeurant en état de béatitude. Alors, vous reconnaissez la Vérité ; vous voyez Dieu partout et en toute chose. »

*Gurumayi Chidvilasananda*, Darshan, octobre 1988

# 7 – La Planète bleue

e matin, en rangeant le bois près du foyer, Myram ramasse un coin de papier journal qu'elle regarde avant de le jeter.

– Tiens, un bout d'article sur l'Amazonie...

Elle replie le papier et le met distraitement dans sa poche sans trop comprendre pourquoi. Puis, elle l'oublie le reste de la journée. Elle s'assoit pour méditer devant le feu comme elle le fait tous les après-midi. Et voilà que son esprit survole la mer des Antilles... puis l'Amazonie.

La pirogue se fraye un passage dans l'épaisseur de l'air humide en même temps que sur l'eau de l'Amazone. Les vêtements de Myram lui collent à la peau. La chaleur suffocante n'arrive même plus à les assécher. Un village, qui semble plutôt désert en ce moment, se pointe le nez. Elle s'y arrête. Le mot «village» convient à peine à cette agglomération de huttes sur pilotis, sans murs ni portes. Myram en fait le tour rapidement, puis décide de s'asseoir à l'intérieur de l'une des huttes et d'attendre.

– Qu'est-ce que je fais ici, en pleine jungle amazonienne? se demande-t-elle, étonnée.

– Je t'ai donné rendez-vous ici, Myram, pour que tu apprennes à te déplacer où tu le veux sur Terre ou dans l'univers, et surtout pour que tu redécouvres ta capacité à te trouver à deux endroits ou plus en même temps, répond Amor, le plus naturellement du monde. Souviens-toi que ton âme est illimitée et omniprésente...

– Pourquoi ici, dans la brousse brésilienne? insiste-t-elle, visiblement intriguée.

– Parce que ce coin de la planète est troublé en ce moment, réplique-t-il, sans porter attention à son incompréhension. Je vais t'enseigner à aller chercher l'énergie de l'Au-delà et à l'apporter ici-bas. Ce sera ta contribution planétaire. De plus, je te réserve une surprise à ton retour.

Elle installe la paix en elle, autant que faire se peut dans cet environnement inconnu et sauvage.

– Ferme les yeux et connecte-toi à l'énergie de la jungle, lui dit Amor.

Elle ressent le grondement de la Terre. La Terre est en colère à cet endroit. La Terre fébrile tremble en elle. Elle s'élève doucement au-dessus du village, de la jungle. Elle remarque les nuages de fumée laissés par les feux ravageurs. Son coeur souffre de tant d'inconscience. Elle s'élève davantage pour l'alléger et se rend jusqu'à la vision de la planète bleue. Elle se met à l'écoute de l'âme de la planète, à l'écoute de Gaïa.

– Vois les taches noires et rouges sur son corps, lui dit Amor. Les taches noires sont des sites de destruction et de mort, des cellules meurtries. La Terre est un organisme vivant, Myram, bien palpable, bien en vie. Les taches rouges sont des fuites d'énergie, tel le sang qui s'écoule des plaies vives.

– Que puis-je faire? demande Myram, se sentant impuissante.

– Projette de la lumière par tes mains sur ses blessures et couvre-les d'un dôme de protection et de guérison. La planète bleue vous fut confiée il y a des millions d'années et vous ne savez plus en prendre soin. Vous y semez la destruction et la violence, alors qu'elle ne demande que de l'amour. Elle n'en peut plus de subir vos incohérences.

Myram, par ses mains, projette de la lumière sur la Terre. Elle entre en symbiose avec la planète et ressent les perturbations électromagnétiques de la Terre à travers son propre corps. Elle fixe des dômes de protection. Puis, elle continue son ascension en compagnie de son guide, au-delà de notre système solaire, qui lui paraît si petit, un grain de poussière dans cette immensité infinie qu'est l'univers. Un vaisseau tout doré vient les chercher et les transporte vers une Étoile brillante. Une porte s'ouvre dans l'Étoile et le vaisseau les dépose au sommet d'un cylindre de lumière, sur une plate-forme qui descend au centre de l'Étoile. La place centrale est entourée de quatre couloirs.

Du premier couloir, un être longiligne, à la tête en forme d'ampoule électrique, vêtu d'une armure dorée, tel un robot, s'avance vers elle et lui propose, par télépathie, de le suivre.

– Myram, prends le temps de te centrer et vérifie si l'énergie te convient, s'empresse de lui suggérer Amor. Assure-toi que tout ton être est en accord avant de le suivre, lui ou n'importe quelle forme qui se présentera à toi désormais, lui conseille Amor. C'est la règle d'or du discernement.

Elle prend quelques minutes de vérification intérieure puis, rassurée, accepte de se laisser conduire dans une salle électronique très perfectionnée.

– Allonge-toi sur cette table, lui demande Amor. Le robot va fixer, partout sur ton corps, des aiguilles, des ventouses, des circuits. Puis, il va procéder à une mise au point de ta structure magnétique et ajuster les circuits de ton cerveau et de ton système nerveux central qui furent ébranlés durant la dernière année. Ceci réparera tous tes réseaux électromagnétiques, lui dit-il d'un ton rassurant, ayant remarqué son regard inquiet.

Encouragée par la présence de son guide, Myram s'abandonne à la dextérité du robot et au travail de restructuration, dont elle ressent immédiatement les bienfaits. Le travail terminé, il la reconduit au centre de l'Étoile. Elle n'a pas le temps de le remercier qu'il est déjà reparti.

Du second couloir surgit un petit être qui ressemble étrangement à E.T. et qui la fait bien rigoler. Après vérification intérieure, elle se laisse conduire dans une sphère ronde remplie de bulles en suspension, ressemblant à des jouets d'enfants. Le petit être s'amuse à sauter, cabrioler, tourbillonner dans cet espace d'intense créativité.

– Je ne comprends pas ce qu'il tente de me communiquer, avoue Myram, en riant de ses acrobaties.

– Son message est pourtant clair, commente Amor. Il t'est permis d'ajouter beaucoup plus de légèreté et de joie au sérieux que tu donnes à ta vie sur Terre, lui confie-t-il.

– Depuis que j'ai choisi de ne pas mourir tout de suite, je me sens responsable de la planète, des humains, de tout. Je ne me donne pas beaucoup le droit ni le temps de m'amuser, rétorque-t-elle pour se justifier.

– Il est possible d'avoir une responsabilité planétaire et de l'accomplir avec joie et légèreté, continue Amor. Tout est dans l'intention, chère âme.

Tels des aimants, les bulles en suspension viennent s'accoler à son être, dans ses corps subtils, comme des bulles de champagne. Ainsi, elle intègre la légèreté, la joie et la créativité en elle. Puis de nouveau, on la ramène au centre de l'Étoile.

Au bout du troisième couloir s'avance une silhouette féminine, voilée et translucide, de couleur lavande violacé. Elle conduit Myram au centre d'un espace de flammes de couleur violet. Elles sont assises face à face. La silhouette découvre soudain son visage.

– Quelle douceur! ne peut s'empêcher de constater Myram. Quel contraste avec l'énergie Yang que je suis!

– Prends le temps de l'apprivoiser, Myram, laisse-toi envelopper, lui dit Amor. Elle est un reflet de ta propre énergie Yin, de ta propre féminité, à laquelle tu résistes encore. Elle t'enseigne une autre forme de force spirituelle.

Pendant un long moment, elle plonge son regard dans le sien. Myram laisse circuler cette force de douceur en elle. Puis elle quitte l'endroit et revient au centre.

Dans le quatrième couloir se présente un être de lumière dorée, en forme d'oeuf. Il la conduit dans un espace d'incubation rempli d'autres oeufs de lumière dorée. Dans ces oeufs sont incubés d'autres êtres.

– Je t'invite à pénétrer dans l'un de ces oeufs, Myram, dit Amor aimablement.

Myram ressent la chaleur vibrante, l'enveloppement, puis le

cocon d'incubation qui l'entoure d'un profond bien-être. Elle se laisse bercer dans cet état de béatitude.

— Maintenant, dit-il au bout d'un moment, tu peux intégrer l'oeuf dans ton ventre.

— Quelle sensation étrange que de m'intégrer et m'incuber moi-même... en moi! Je suis dans un oeuf qui s'intègre en moi. Je suis l'oeuf et l'oeuf est en moi. Je comprends le principe de l'alchimie, de la vie éternelle, de l'immortalité, de la dégénérescence sans fin. Il n'y a pas de mort. Il n'y a que l'oeuf de la vie éternelle et immortelle.

— Tu as tout compris, Myram!

Elle revient au centre de l'Étoile, enceinte d'elle-même, éternelle et immortelle. Ils refont en sens inverse le chemin du retour, de l'Étoile à la Terre bleue. Elle entoure la planète d'un oeuf de lumière. En redescendant, ils bifurquent un instant sur l'Île de Pâques.

— Pose tes mains sur l'une des têtes géantes; elle va t'aider à t'enraciner sur la Terre. Intègre la force de la pierre sculptée et reviens dans ton corps au centre du village amazonien. Je te laisse ici. À bientôt, dit Amor en quittant.

Des rires de gamins fusent de partout. Myram ouvre les yeux et se demande où elle est. Des êtres hauts comme trois pommes, coiffés de cheveux rouges, lui sourient. Ils tiennent chacun un morceau de miroir cassé qu'ils s'amusent à faire briller devant son visage. Elle est émue par ces êtres simples, au coeur pur d'enfants innocents, qui vivent dans la nature sauvage et la respectent. Elle pleure sur le massacre de la forêt de pluie, sur la destruction par le feu apportée par l'homme civilisé. Plus elle pleure, plus ils rient, si bien qu'elle finit par rire un bon coup elle-même.

Ici, les mots sont inutiles et superflus. Ils se comprennent par les yeux et par le coeur. L'un d'eux, qui semble le chef du groupe, lui tend un bol de thé chaud.

— Merci, dit-elle du regard.

Elle boit, à petites gorgées, la décoction de plantes, ce qui a pour effet magique de ramener la joie en elle. Le peuple aux cheveux rouges l'accueille sans conditions. Elle enveloppe la forêt d'un oeuf de lumière dorée afin qu'elle reçoive la vibration incubatrice de la renaissance.

Le bois crépitant de joie sur son lit épais de braise rouge orangé ramène la conscience de Myram dans le salon. Dehors, la neige tombe doucement en gros flocons de paix blanche.

– Les déplacements spatio-temporels vont devenir de plus en plus faciles, se dit-elle en souriant.

Et c'est ainsi que Myram apprit à explorer plusieurs endroits en même temps, à développer le discernement et à trouver l'unité dans la diversité...

*13 janvier 1997*        *21 h 33*

Un pont de lune argentée crée une passerelle de la terre ferme jusqu'à l'Île. La rivière glacée le traverse sans le déplacer. Ai-je la foi qui peut marcher sur les eaux sans me laisser ébranler par le froid ou le vent? Ai-je la certitude que la rivière regorge de poissons pour assouvir toutes les faims? La lune ne se demande pas si demain je serai là à la contempler. Elle suit son cours comme la rivière et ne se retourne pas sur son passé.

# 8 – L'état d'Être

Cette nuit, Myram n'arrive pas à dormir. Elle ne fait pas d'insomnie, mais un surplus d'énergie la tient éveillée. Elle sent des courants électriques parcourir tout son corps. Elle alimente le feu, qui ne demande pas mieux que de lui tenir compagnie dans la nuit. La lune à peine naissante dessine un passage sur la rivière. Elle songe à tout ce qui s'est passé dans sa vie depuis que le ciel a répondu à son appel de mourir.

Elle s'est laissée guider en toute confiance par Amor, qui lui a fait découvrir des mondes tous plus merveilleux les uns que les autres. Pourtant, ces espaces inconnus, elle a l'impression, quelque part en elle, de les avoir déjà visités. Comme si elle réveillait des mémoires depuis longtemps endormies.

Les yeux de Myram glissent à travers la large fenêtre du salon, sur le filet de lumière argentée qui traverse la rivière, telle une passerelle. Son corps se cale confortablement dans le fauteuil et elle laisse son âme aller rejoindre son guide, qui l'appelle sur la passerelle.

– Tout est si facile avec toi! Je peux marcher sur l'eau... dit-elle, en le rejoignant sur la passerelle de lune.

– Tu es illimitée, chère âme, répond-il. Tes capacités sont infinies. Tu les as tout simplement oubliées. Viens avec moi.

Elle le suit sur le filet qui, sous leurs pas, se change en un large pont argenté qui s'élève vers le ciel, bien au-delà des nuages. Dans la nuit, le pont dessine une arche très nette.

– De l'autre côté de ce pont, Myram, nous allons pénétrer dans le temps qui n'existe pas. Ce soir, nous allons visiter les autres vies où tu fus toi-même un pont, lui explique-t-il mystérieusement.

– Que veux-tu dire? demande-t-elle, visiblement intriguée.

– Tout simplement que c'est l'heure de retrouver les mémoires d'autres vies où tu as été Passeur de Terre. Tu n'as plus de temps à perdre, Myram, et encore moins le droit de «faire l'autruche», comme vous dites sur Terre. Ton anesthésie a assez duré! continue-t-il avec fermeté. Comme plusieurs de tes frères et soeurs humains, tu as été hypnotisée par les systèmes aberrants qui contrôlent votre humanité et qui ne veulent surtout pas que vous évoluiez sur Terre. Ils prolongent votre inconscience et votre ignorance de vous-mêmes en vous abrutissant et en vous emprisonnant dans des illusions que vous prenez pour la réalité. Ces illusions se nomment tantôt religion, politique, spiritualité; tantôt école, argent, pouvoir. Les systèmes vous paralysent dans le triangle Séduction–Manipulation émotive –Vampirisme énergétique. Ils ne souhaitent surtout pas que vous sachiez qui vous êtes vraiment, que vous reconnaissiez votre véritable essence divine, votre vraie nature. Ce serait trop dangereux pour eux... Vous pourriez renverser leur pouvoir en les démasquant. L'heure est venue, Myram, de te connaître toi-même, de reprendre ton pouvoir et ta liberté, et surtout, de savoir pourquoi tu t'es incarnée de nouveau sur la planète bleue.

Le pont prend fin et un magnifique jardin japonais les accueille, un jardin dont la beauté et la perception éveillent la plus haute inspiration. L'âme de Myram se délecte de tant de beauté. Ils marchent au-delà des ruisseaux en cascades, des pagodes, des temples et des sculptures de pierre, puis commencent à gravir un sentier rocailleux qui les conduit au sommet de la montagne. Myram remarque les sandales de bois à ses pieds et la douceur soyeuse du kimono qui l'habille. Très, très loin au pied de la montagne, se dresse un petit village. Ils se dirigent vers un large pavillon installé sur la partie la plus élevée du sommet. De là, on peut admirer au loin les vallées et les montagnes enneigées, qui tranchent sur le ciel bleu. Ils accèdent en silence à l'arrière du pavillon. Quelqu'un y est déjà assis et semble méditer.

– Qui est-ce? demande Myram tout bas.

– C'est toi, il y a plusieurs siècles. Approche-toi doucement et tu pourras te fusionner à sa forme, chuchote Amor. Myram enlève ses sandales et, sur la pointe des pieds, vient se placer derrière le personnage. C'est un homme. Avant même de le demander, elle se retrouve instantanément dans le corps de cet homme, vêtu lui aussi d'un kimono, et s'y adapte immédiatement. Amor s'avance à son tour et vient prendre place à ses côtés.

– Myram, parle-moi de ce que tu ressens, lui demande-t-il à voix basse.

– Je vous salue, Amor, répond la profonde voix masculine. Je pratique la décorporation. J'entre dans un état de conscience élargie, où mon corps perd toutes ses frontières, toutes ses limites. La pratique acquise de cet état est devenue permanente. Je suis en totale fusion avec tout ce qui est : la nature, l'univers, tout. Nous sommes UN. Ici, il n'y a plus d'états d'âme, d'émotions. J'ai atteint la maîtrise de la mortalité. Il n'y a ni début ni fin. Il n'y a qu'Être. Il n'y a plus d'appartenance, de références, de famille, de société, de profession, de langue. Il n'y a rien. Voici l'état pur de la contemplation. C'est un état qui s'apparente à l'illumination. Un état sans interrogations, sans réponses, sans questions. C'est l'apprentissage de l'état qui suit habituellement la mort de la machine biologique, lorsque le coeur cesse de fonctionner et le corps, de respirer. Il n'y a aucune barrière, aucun voile, aucune frontière entre la vie et la mort. C'est l'état qui demeure après le Passage, l'état d'éternité, d'immortalité. L'état demeure, seule la forme à l'occasion prend forme.

– Comment s'acquiert cet état ? interroge Amor.

– Il y a deux voies, répond la voix grave et masculine en Myram. La première est la voie longue de la discipline personnelle. La seconde est la voie choc de la transmission produite par quelqu'un qui a déjà atteint l'état et qui peut transmettre l'éveil. Cette seconde voie provient d'une longue lignée de transmission. Celui ou celle qui a atteint l'état peut l'éveiller chez qui veut l'atteindre. Certains utilisent les mots maître et disciple. Ce ne sont que des mots. L'essentiel, c'est l'état. J'ai refusé l'apprentissage théorique, livresque, intellectuel, et j'ai choisi la voie de la transmission par osmose. Elle a été suivie d'une longue discipline personnelle jusqu'à ce que l'état soit devenu permanent. C'est la transmission par osmose des gestes ancestraux des Maîtres du Passage.

– Qui sont les Maîtres du Passage ? s'enquiert Amor.

– Tout simplement des êtres qui ont atteint l'état d'Être, poursuit la voix grave. Des êtres qui ont atteint la permanence immuable de l'état d'Être, de l'état d'Infinie Compassion qui permet de veiller sur le monde tout en étant fusionné à l'univers...

Myram se tait, fusionnée à l'état d'Être. L'une après l'autre, des formes se succèdent et se superposent. Des formes que son âme a empruntées durant nombre d'autres vies, où elle fut Passeur de Terre, Passeur d'Âmes, Pont vers l'Au-delà, Pont vers la Lumière, Maître du Passage, sage-femme ou sage-homme au chevet des mourants... Tantôt prêtresse égyptienne, moine tibétain, chaman amérindien, druidesse, sorcier maya ou inca, aborigène australien et même femme apôtre dans la foulée de Jésus, celui dont le Passage controversé a guidé les humains dans le Passage du Coeur. Bientôt, toutes ces formes se fondent en une seule, remplie de lumière blanc doré.

– Que se passe-t-il, Myram ? demande Amor.

– Je fusionne toutes mes mémoires, tous mes Passages, tous mes rituels, tous mes apprentissages et je les unis en une seule lumière, répond-elle, comme en transe. J'efface les frontières entre le passé, le présent et l'avenir. Tout est ici, en ce moment même. Il ne reste que l'état d'Être...

Le corps masculin a disparu. Myram contemple les montagnes au loin. Le ciel bleu se reflète dans ses yeux brillant de lumière.

– Amor... je comprends que la mort n'est qu'un Passage, une transformation, un changement de forme. La vie est permanente, et cet état de permanence, cet état d'Être peut être atteint avant... de mourir... dit Myram à demi présente.

– C'est exact. Tu as tout compris et tu viens d'intégrer cette expérience. Qu'importent les rôles que tu as joués, l'essentiel demeure. Dans cette vie, tu as choisi la simplicité d'une forme qui vient de se souvenir de sa grandeur. Myram, à partir de maintenant, ton défi sera de demeurer dans la simplicité, lui confie-t-il, comme l'on confie un trésor à un être aimé.

– Tu m'as dit tout à l'heure que je saurais pourquoi je suis revenue sur Terre... lui rappelle-t-elle brusquement.

– Tu es venue témoigner de cet état d'Être mais, auparavant, tu devais le retrouver... dit-il lentement, en pesant chacun de ses mots.

– Et qu'est-ce que je fais maintenant? poursuit-elle, d'un air incrédule.

– Tu n'as plus qu'à Être.

Les yeux de Myram plongent au loin, dans la vallée, entre les montagnes enneigées. Elle laisse son regard se perdre au-delà de l'horizon, plus loin que l'illusoire frontière créée par les limites de son corps.

Ils quittent le pavillon, la montagne, le jardin et reviennent sur le pont de lune qui les ramène sur la rivière. Amusée, Myram regarde son âme saluer Amor sur la passerelle d'eau glacée. Elle sent un frisson la parcourir au moment où son âme se glisse dans son corps. Elle sort de sa rêverie et retourne dans son lit, se sentant plus calme et plus paisible que jamais auparavant.

Et c'est ainsi que Myram apprit à voyager dans le temps, à fusionner ses mémoires d'incarnation et à Être...

*14 janvier 1997        13 h 44*

La rivière est devenue un miroir d'or liquide et ses eaux se sont teintées d'un bleu d'azur. Le reflet du soleil, qui miroite sur la surface de la neige, m'aveugle et me fait plisser des yeux comme les paysannes péruviennes et les navigateurs féroces aux commandes des bateaux vikings. L'oeil perçant se prépare à l'abordage. La confrontation n'est rien d'autre que la friction, qui donne naissance à l'énergie électromagnétique, nommée également amour.

# 9 – Walkyrie

C'est sa deuxième nuit d'insomnie et Myram a décidé de rester allongée et d'attendre. Des images floues ont commencé à défiler dans l'entonnoir de son troisième oeil. Elle cligne des yeux chaque fois que l'une d'elles se présente. Au début, elle croit qu'elles seront de courte durée, mais plus le temps passe, plus les images persistent et deviennent claires. Elle peut maintenant discerner parfaitement les têtes, les visages et les formes monstrueuses qui se présentent à elle et l'assaillent. Devant l'insistance de ces formes, Myram sent gronder en elle une profonde colère...

– Vous ne m'aurez pas ! hurle-t-elle du fond de la nuit.

Aussitôt un gigantesque sabre apparaît dans sa main droite. Elle sent son corps s'envelopper d'une armure de métal et sa tête se couvrir d'un casque de protection. Un bouclier s'est matérialisé à son bras gauche. Myram chevauche une bête énorme, couverte d'écailles et crachant du feu devant elle. Elle croit reconnaître un puissant dragon.

– Guerrière ! Tu dois te battre ! crie le dragon.

Elle reconnaît la voix d'Amor, ce qui lui donne davantage de courage et de force. Elle joue du sabre et du bouclier pendant au moins cinq heures. Sans relâche, elle fait tomber les têtes sur son Passage. Elle se sent féroce et invincible. Au bout de ces longues heures de combat, elle file tout droit devant elle dans un couloir élargi où s'infiltre maintenant une douce lumière bleue qui ramène la Paix en elle. Elle est en sueur sur son lit et son coeur bat la chamade.

– Bravo guerrière ! lui dit de nouveau son guide. Tu as créé un Passage à travers l'astral. À présent, tu peux dormir. Mission accomplie. Je reviendrai tout à l'heure.

Elle dort profondément, jusqu'à très tard dans la matinée.

La sonnerie du téléphone la tire de son sommeil.

— Myram? C'est moi, Dominique... lui dit la voix de sa soeur à travers un brouillard. Maman est partie cette nuit. Elle criait ton nom à haute voix.

— Quoi? Que dis-tu? demande Myram, complètement réveillée.

— Maman nous a quittés cette nuit. Elle ne cessait de répéter «Myram... Myram... Myram...» avant de partir.

— Pourquoi ne m'avez-vous pas téléphoné? dit-elle en colère.

— Mais nous t'avons téléphoné! Tu ne répondais pas! rétorque sèchement sa soeur.

— ...

Myram est sidérée.

— Paule m'a téléphoné ce matin, poursuit Dominique, d'une voix plus aimable. Elle était surexcitée : maman lui est apparue au petit matin vêtue de sa robe de nuit, toute blanche et toute lumineuse. Elle lui disait de ne pas s'en faire pour elle, qu'elle allait bien et ne souffrait plus. Puis, elle est disparue dans un couloir de lumière bleue...

— Comme c'est intéressant... chuchote Myram, se souvenant de la nuit dernière.

Les deux soeurs terminent la conversation sur un ton plus amical. Une douce complicité circule maintenant entre elles malgré la distance. Myram vient ensuite s'asseoir devant le feu, son ami, son confident. Soudainement, elle s'effondre sur elle-même.

— Amor? J'ai besoin de toi! crie-t-elle, partagée entre la douleur, la peine, la rage et l'impuissance.

Elle sent une main chaude et rassurante se poser sur son épaule. Elle se laisse aller à pleurer doucement. La petite fille, rescapée de la rivière, sanglote.

— Que s'est-il passé cette nuit? articule-t-elle à travers ses sanglots.

— L'âme de Rose est venue te demander de l'aide, Myram.

Tu dois réaliser qui tu es... lui répond-il fermement. Tu es Passeur de Terre. Ton rôle est d'accompagner les âmes dans le Passage.

— Je croyais pourtant que cela se faisait en douceur, reprend-elle, se souvenant du combat livré la veille.

— En principe, oui. Cependant, les croyances des êtres font en sorte que certaines âmes se manifestent un Passage plus difficile, lui explique-t-il. Rose croyait aux forces des ténèbres, à l'enfer, au jugement et au diable ; voilà ce qu'elle s'est créé. Elle avait besoin de toi pour l'aider.

— Pourquoi moi, justement ? dit-elle, en pleurant de plus belle.

— Parce que tu as cette force et cette capacité, affirme-t-il, c'est ton choix d'incarnation. Parmi les multiples formes de Passeur que tu as intégrées la dernière fois que nous nous sommes rencontrés, te souviens-tu de la Guerrière ?

— Non... répond-elle après avoir fouillé sa mémoire.

— Elle fait partie des Walkyries. Les Walkyries étaient des déesses germaniques et scandinaves qui avaient pour mission de venir chercher, sur les champs de bataille, les âmes des guerriers morts au combat et de les conduire au paradis. Voilà ce que tu as fait, lui confirme-t-il en toute simplicité.

— Étrange destinée que la mienne ! ne peut-elle s'empêcher de lui répondre. Passer l'essentiel de sa vie dans le Passage de la Mort ! Passeur de Terre... Passeur de Ciel...

— Tu n'aurais pas pu préparer le chemin pour Rose si toi-même tu ne t'étais préparée à mourir... conclut-il en la quittant.

Myram veut en savoir plus long sur les Walkyries. Elle cherche ce mot dans le dictionnaire : «*Nom donné, dans les mythologies scandinave et germanique, aux divinités féminines qui présidaient aux batailles et amenaient les guerriers au WALHALLA, paradis des guerriers morts en héros*».

— Celle qui choisit le combat... Walkyrie... Drôle de destin pour une femme !

Et c'est ainsi que Myram la Guerrière apprit à créer un Passage pour accompagner les âmes vers l'Au-delà...

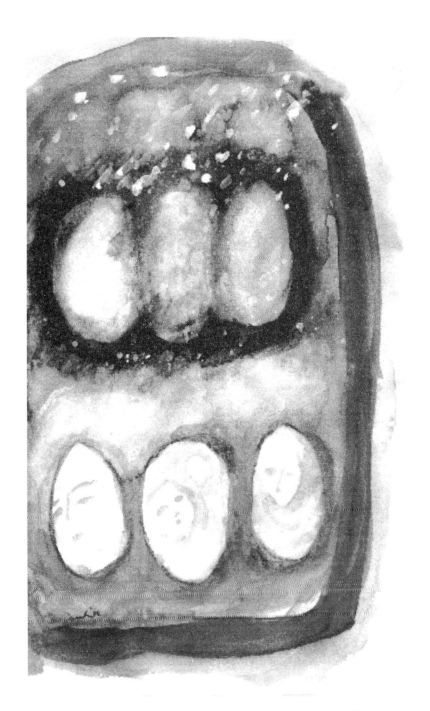

«Les enfants qu'elle n'a pas eus»  *Sylvie Paradis 1997*

*15 janvier 1997*        *8 h 04*

Un écureuil gris vient ramasser les graines de tournesol tombées des mangeoires d'oiseaux sous le regard indifférent des tourterelles. Il est si vif et si pressé qu'on le croirait en grand danger. Il vit en constante vigilance et jamais il ne relâche son attention. La rivière est toute autre : large, abondante, généreuse. Les glaces ont fondu cette nuit. Les canards sauvages se laissent porter sur son dos en toute confiance.

# 10 – La Mère Cosmique

epuis le décès de Rose, Myram médite de longues heures sur la maternité, sur les liens mère-enfant. Elle songe à son fils, à sa fille, tous les deux si loin, et pourtant si proches. Elle se revoit enceinte de chacun d'eux.

— Comme le temps passe vite ! se dit-elle avec nostalgie. Et pourtant, c'était hier.

Elle revoit aussi la douleur qu'elle a eue à la suite de ses trois fausses couches. Le sentiment de plein qui l'avait habitée au cours des premiers mois... puis tout à coup, ce grand vide... ce deuil...

Ce matin, le bois très sec éclate et projette des étincelles qu'elle s'amuse à regarder filer, s'éteindre puis chuter sur les tuiles de terre cuite. Soudain, trois étincelles restent en suspension entre elle et le feu. Bien qu'elle soit en train de s'habituer à sa nouvelle vision, elle se frotte les yeux pour clarifier l'apparition. Elles sont toujours là, en suspension.

Les étincelles grossissent à vue d'oeil jusqu'à prendre chacune la taille et la forme d'un oeuf de lumière dorée, entouré d'une étoile à trois rayons.

— C'est très beau, n'est-ce pas ? lui dit la voix familière de son guide, arrivé en même temps que les étoiles, mais plus discrètement.

— Oui, c'est magnifique ! s'exclame-t-elle. On dirait presque qu'il y a de la vie dans ces oeufs de lumière.

— Tu as raison. Ce sont les âmes qui devaient s'incarner à travers toi, lui apprend-il avec ce naturel et cette assurance propres aux guides de lumière lorsqu'ils s'adressent aux humains qu'ils accompagnent.

— Que font-elles ici, ce matin ? demande Myram ébahie, qui ne peut s'empêcher d'avoir une réaction plus humaine que celle d'Amor.

– Elles ont choisi par la suite de continuer à être près de toi... sur un autre plan. Elles apprennent de toi et t'enseignent aussi. Ce que vous auriez fait d'ailleurs si elles étaient devenues tes enfants, ajoute-t-il.

Myram s'émerveille de cette perspective, si différente du chagrin qu'elle avait au moment de leur perte. Le deuil de ces grossesses prend un tout autre sens à présent. Elle voit que les rayons de lumière qui émanent des étoiles se dirigent vers elle, puis fusionnent en un large rayon qui pénètre doucement dans son ventre.

– Que se passe-t-il? demande-t-elle, de nouveau intriguée.

– Prends le temps de ressentir la lumière pendant quelques secondes... lui demande Amor, pour l'inviter à se détendre. Les étoiles communiquent avec toi par ton centre de créativité. Elles t'envoient une énergie de réconciliation avec ton regret de ne pas avoir enfanté d'autres enfants de chair. Elles sont tes guides de créativité, ton inspiration.

– C'est étrange... constate-t-elle, attentive à son ressenti, je me sens pleine comme lorsque j'étais enceinte.

– Tu l'es, Myram... confirme Amor. Tu es enceinte de toi-même, mais aussi de tes enfants de lumière.

– Que veux-tu dire? interroge-t-elle de nouveau.

– L'enfantement, poursuit le guide, c'est aussi donner naissance à ta créativité, mettre au monde ce qui vient de toi. Une oeuvre est l'enfant de l'artiste ; un livre, celui de l'écrivain ; une entreprise, celui de l'homme ou de la femme d'affaires.

– Je me demande bien ce que j'ai à mettre au monde... murmure-t-elle, comme à elle-même.

– Tu le sauras, lui souffle-t-il mystérieusement. Ces âmes t'inspireront.

Myram ferme les yeux. Elle sent le rayon de lumière monter de son ventre à son coeur et se propulser dans ses bras jusqu'au bout des doigts. De puissantes ondes d'amour émanent de cette lumière et bientôt, de tout son corps.

– D'où vient ce coeur? D'où vient l'amour? ne peut-elle s'empêcher de demander à l'univers.

– Laisse-toi porter par ces ondes qui émanent de toi... lui conseille Amor. Tu seras guidée à l'origine du Coeur, à la Source de l'amour.

Les ondes les entraînent dans l'espace. Myram remarque que la Terre est un point d'attraction pour plusieurs êtres en provenance de diverses parties de l'univers. Au contact de ces ondes, ils se laissent attirer. Parfois, ils choisissent de se laisser porter; d'autres fois, de les combattre. Elle contemple à l'infini les planètes, les systèmes solaires, les étoiles. Ils continuent à filer vers un soleil de lumière qui les propulse encore plus loin. Une brèche se crée dans l'espace comme un rideau qui s'ouvre. Ils pénètrent dans un univers bleu, blanc et doré et se retrouvent au centre d'une sphère, assis en cercle avec d'autres êtres.

– Je ne reconnais pas ces êtres, lui avoue-t-elle, mais je me sens... comme en famille avec eux.

– Ce sont des âmes que tu as connues, connais et reconnaîtras, lui dit-il, avec tellement d'amour qu'elle en frissonne.

Ils flottent dans cette sphère, comme s'ils étaient en suspension dans une molécule géante.

– Nous formons un oeuf, un ovule collectif qui flotte dans le magma cosmique, lui explique Amor. Nous sommes dans la matrice de la Mère Cosmique!

– Quelle douceur! Quel amour! s'exclame Myram en pleurant.

– Nous sommes seuls dans le ventre de la Mère Divine... continue-t-il, et elle va nous mettre au monde de son ventre à son coeur, car la véritable naissance est celle du coeur.

Les unes après les autres, les âmes sont amenées dans le coeur de la Mère, qui se remplit d'elles.

– Je serai avec vous dans les temps à venir. Vous serez protégés ainsi que vos enfants de chair et de lumière. Soyez sans crainte, dit la voix de la Mère Cosmique, qui s'adresse à eux des confins de l'univers.

Myram se sent totalement enveloppée et se laisse bercer par les ondes de ce vaste coeur.

– Nous y sommes, Myram, confirme Amor, à l'origine du Coeur, à la Source de l'amour.

Myram se sent tellement bien qu'elle n'a plus envie de quitter ce lieu et de revenir sur Terre. Elle voudrait demeurer ici pour l'éternité, dans ce cocon de chaleur aimante.

– Myram, il faut revenir, maintenant, insiste Amor.

– Pourquoi revenir? dit-elle sans l'écouter. Je suis ici chez moi. J'ai retrouvé ma famille, ma maison et tu voudrais que je m'en sépare maintenant. J'attendais ces retrouvailles depuis toujours. Tu ne peux pas me demander de partir à présent.

– Je sais ce que tu vis présentement, Myram, cette ivresse de l'âme qui se compare à l'ivresse des profondeurs dans vos océans terrestres. Mais tu oublies ton contrat, ton engagement envers tes frères et tes soeurs de la Terre... insiste-t-il avec plus de fermeté.

Myram se tait. Les larmes roulent sur ses joues. Son coeur et ses bras sont remplis à craquer d'amour.

– Ce que tu portes en toi en ce moment, c'est l'amour, c'est la véritable abondance. Tu es venue jusqu'à la source de l'abondance et ton coeur déborde d'amour. Tu en as plein les bras... répète-t-il avec ses mots pleins de tendresse. Tu ne peux le garder pour toi, Myram, tu dois le partager. L'abondance n'est rien d'autre que l'espace du coeur et de l'amour.

Ces mots magiques ont un effet immédiat sur Myram. Elle se laisse guider sans résistance sur le chemin du retour. Ils atterrissent en Afrique. Myram se voit en train de partager son amour avec la terre d'Afrique, le peuple qui souffre, les enfants affamés. Plus elle donne, plus son coeur se remplit. La Source est intarissable.

Elle ouvre les yeux. Le feu s'est transformé en braise ardente. Elle est allongée sur le tapis au milieu du salon, les bras en croix, avec l'impression de toucher les murs de ses doigts tellement ses bras et sa poitrine se sont élargis. Puis elle se lève et voit qu'il fait bon dehors. La neige ne neige plus et le soleil éclate de lumière brillante.

– Ou bien je vends cette maison ou bien je la fais revivre... se dit-elle, en se couvrant chaudement pour aller chercher du bois.

Et c'est ainsi que Myram apprit la puissance de l'Amour et l'abondance du Coeur en retrouvant sa véritable famille d'âmes...

*16 janvier 1997*        *8 h 01*

Le vent glacé balaie tout sur son Passage. La neige et la rivière sont secouées contre leur volonté. Le vent emporte les masques et les faiblesses. Seuls les éléments forts subsistent. Je me laisse aller en amont.

# 11 – L'Étoile

**S**ans trop s'en rendre compte, Myram ne mange presque plus. Elle maigrit à vue d'oeil et la seule nourriture qui la satisfait est la visite quotidienne de son guide. Elle s'abreuve de sa présence, de ses paroles et surtout des voyages fabuleux qu'elle fait en sa compagnie. Elle est toujours en attente, car elle ne sait jamais vraiment à quelle heure il va revenir.

Voilà maintenant qu'il n'est pas venu depuis deux jours. Myram s'impatiente tout d'abord, puis elle commence à déprimer. Elle sent au fond d'elle-même sa dépendance, son attachement à Amor, mais se garde bien de le reconnaître. Lorsqu'il paraît enfin, la troisième journée, elle ne peut retenir sa colère.

– Bonjour, Myram...

– ...

– Que se passe-t-il? demande-t-il, d'une voix plus douce qu'à l'habitude, devinant la source de son trouble.

– Tu ne t'occupes pas de moi. Tu m'as abandonnée, répond-elle enfin en boudant. Où étais-tu?

– Myram! Que fais-tu de mes enseignements? rétorque-t-il, toujours sur le même ton de tendresse.

– Tes enseignements! Pendant que tu te balades dans les hautes sphères, à danser avec les étoiles, moi je reste ici sur Terre à me taper le froid, la densité, la grisaille et la solitude, lui lance-t-elle avec colère. J'en ai marre. Tu vas me dire que ceci fait partie du pacte?

– En effet... confirme-t-il. Tu as CHOISI l'incarnation.

– Mais je croyais que, dans le contrat, il y avait collaboration avec là-haut! lance-t-elle de nouveau, ne pouvant cacher sa déception.

– Il y a collaboration, Myram, mais tu ne le vois pas, continue-t-il, toujours aussi calmement. J'étais là à t'observer, tout près...

– Alors, pourquoi me suis-je sentie aussi seule? dit une voix d'enfant à travers elle.

– Parce que tu es libre... Il est plus que temps que tu apprennes à voyager seule, Myram, lui suggère-t-il fortement. Allons-y. Nous allons faire un dernier voyage ensemble.

Myram s'est recroquevillée dans le fauteuil. Les paroles d'Amor la réconfortent tout en la blessant. Elle tremble en dedans comme une petite fille et n'arrive plus à se réchauffer. Elle a négligé d'allumer le feu et la maison s'en ressent.

Elle se recueille tant bien que mal. En une fraction de seconde, ils survolent un lac turquoise niché au creux d'une vallée himalayenne. Amor garde silence et lui laisse toute la place. La plate-forme se pose au centre du lac. Une passerelle de lumière les porte jusqu'à la rive. Il communique avec elle par télépathie. Ils se dirigent tout d'abord vers une caverne à proximité. Au milieu de la caverne, se tient un sage, un saddhu, en position de méditation.

– Je pratique le samadhi du Passage conscient, lui dit-il avant même qu'elle ne pose la question. Je ne mange plus. Je ne bois plus. Jour après jour, heure après heure, seconde après seconde, j'observe la métamorphose de mon enveloppe physique.

Son corps amaigri, ses cheveux longs en broussailles, sa nudité frappent Myram en plein coeur. Elle reconnaît en lui la partie d'elle qui est attachée à vouloir mourir, à explorer le Passage.

– Je suis plus attachée au Passage vers l'Au-delà qu'à la vie sur Terre, reconnaît-elle en se tournant vers Amor. Je suis profondément attachée à l'autre côté, à cet Univers extra-ordinaire, qui est plus réel pour moi que celui sur Terre. Comme lui, j'observe mon corps, qui fait le Passage à petit feu...

– Cette discipline qu'il pratique, tu l'as déjà pratiquée : tu n'en as plus besoin, lui dit de nouveau Amor, par télépathie.

Un large pont de lumière émerge du sage à partir du plexus et se dirige vers le plexus de Myram. En une fraction de seconde, elle aspire la lumière et l'image du saddhu disparaît.

– Tu n'as plus besoin d'atteindre cet état, Myram, constate-t-il, tu viens de l'intégrer en toi.

Ils traversent de l'autre côté du lac et pénètrent dans une autre caverne, cette fois beaucoup plus vaste. Trois chamans himalayens sont assis autour d'un feu à l'allure vive. Ils sont vêtus d'habits aux couleurs extraordinaires. En les observant de plus près, Myram se rend vite compte, à leur air renfrogné, qu'ils ne sont pas d'humeur à rire.

– Tu as abandonné ta nature chamanique, dit l'un d'eux. Tu t'es coupée de la Terre profonde, au détriment des éthers.

– Tu as cru que seuls les éthers étaient sacrés : tu as fait fausse route. La Terre est tout aussi sacrée, dit un autre, en frappant son tambour.

– Tu as tourné le dos à la Terre et oublié ton rôle de chaman, qui est d'unir le haut et le bas, dit le troisième, en lui tournant le dos.

Trois anges se présentent à leur tour et lui tiennent le même discours.

– Tu as abandonné ta nature angélique, dit l'un d'eux. Tu t'es coupée du Ciel profond, au détriment de la matière dense.

– Tu as cru que seule la Matière dense était sacrée : tu as fait fausse route. Le Ciel est tout aussi sacré, dit un autre, en sonnant de la trompette.

– Tu as tourné le dos au Ciel et oublié ton rôle d'ange, qui est d'unir le bas et le haut, dit le troisième, en refermant ses ailes.

Amor se tait, retiré dans un coin de la caverne. Il n'en faut pas plus pour que Myram éclate de colère. Une colère rouge, orange et or qui sommeillait en elle depuis trop longtemps. Une colère ancienne, retenue depuis trop de vies. Une colère contre les abuseurs du pouvoir qui ont fait croire aux humains qu'ils n'en avaient pas. Une colère lointaine contre les dictateurs, de connivence avec les dieux, qui ont prêché l'humiliation et l'impuissance pour maintenir le contrôle sur l'humanité. Une colère contre tous ceux-là qui se sont ligués pour faire croire à l'humain qu'il était séparé de Dieu.

– D'accord, j'ai négligé la Terre et le Ciel, mais vous vous en moquez bien, de la Terre et du Ciel, dans votre petite caverne protégée et vos nuages ouatés! commence-t-elle, le visage et le corps en feu. Pendant que vous faites vos danses aux étoiles, nous, on se tape les villages en bas des montagnes! J'ai abandonné mes natures chamanique et angélique, dites-vous? Que savez-vous des prisons, des hôpitaux, des rues malfamées, des ghettos, où il n'y a ni lumière ni amour? Vous avez déserté les «bas» niveaux pour vous réfugier en altitude, loin du bruit, des cris, de la souffrance. Pendant que vous faites vos incantations avec les aigles et les anges, nous, on se farcit le bas de la colline... On se tord les boyaux pour essayer d'élever le niveau de conscience, le nôtre d'abord! On obtient des miettes de résultats. Pendant ce temps, vous poursuivez vos grandes danses cosmiques... Un instant! On va parler de collaboration, d'accord? C'est l'heure de la négociation entre les deux plans! Vous n'êtes rien sans nous, car nous sommes vos porte-parole sur Terre. Vous n'êtes qu'éthériques et invisibles! Nous sommes de chair et d'os... On est bien d'accord pour assumer notre incarnation, mais ne faites pas semblant de nous aider : aidez-nous! Manifestez-vous **concrètement**! Nous sommes aussi valables que vous. Ici-bas, on ne peut pas être des héros tous les matins!

Amor observe Myram du coin de son oeil... éthérique. Elle est en transe, debout au centre d'une caverne himalayenne, et son feu intérieur est plus intense que le feu des chamans. La colère la transfigure. Sa chevelure est enflammée. Son corps tremble comme si la foudre l'avait frappé. Elle a la beauté du feu en action.

Les chamans et les anges se sont radoucis. Ils envoient

discrètement des rayons de lumière à Myram et l'aident à réconcilier ses deux natures, chamanique et angélique, qui se marient peu à peu à son feu. Elle se calme, tire sa révérence et revient vers le lac.

— Ils m'ont cherchée... Ils m'ont trouvée !  dit-elle d'une voix de braise.

— Rends grâce, Myram, lui conseille discrètement Amor. Tu as rallumé ton feu sacré. Ton essence profonde est faite de flammes et de foudre ; elle ne s'éteindra plus. Tu as reconnecté en toi le Ciel et la Terre ; ils ne se sépareront plus.

Ils reprennent place au centre du lac. La beauté du ciel et des montagnes se reflète paisiblement sur eux. Une Étoile brillante vient se placer au-dessus d'eux. Elle envoie un rayon dans leur direction, une invitation à la suivre.

— Vas-y seule, Myram, lui dit-il avec une confiance totale, une confiance telle qu'elle n'en a jamais connue. Laisse-toi guider par l'Étoile. Je t'attends ici.

Elle hésite une seconde et décide de plonger.

— À tout à l'heure... dit-elle en se laissant aspirer par le rayon.

— Suis ton Étoile... poursuit-il intérieurement.

L'Étoile reste en contact avec la Terre comme jadis l'Étoile de Bethléem avait guidé les rois. Elle refait le chemin des rois qui reçurent en songe un message. L'Orient, le Moyen-Orient, la Turquie, la Palestine, Israël... Nous y voilà. Un rayon d'Étoile descend dans le désert comme un projecteur sur une scène. Un homme et une femme vêtus de tuniques et de voiles se déplacent lentement à travers les dunes de sable. Myram se glisse dans le rayon.

— Je peux venir avec vous ? demande-t-elle timidement à l'homme.

— ...

Il tourne vers elle son visage couvert de poussière. La lumière de ses yeux est si forte qu'elle en est aveuglée.

– Où allez-vous ? demande-t-elle, à travers la lumière.

– Nous suivons l'Étoile, dit-il simplement.

Tout en marchant, Myram se rapproche de la femme, assise à dos d'âne, et remarque avec joie son ventre tout rond.

– Je peux ? demande-t-elle, en approchant sa main du ventre.

– ...

Lentement, la jeune femme tourne son visage vers Myram et sa lumière, toute aussi intense, la pénètre. Myram pose sa main doucement sur le ventre, ferme les yeux et laisse couler ses larmes sur le sable chaud.

– Cet homme et cette femme suivent l'Étoile... lui dit une voix en elle. Une voix comme elle n'en a jamais entendue... Une voix provenant aussi du ventre de la jeune femme. Ils ont entendu l'appel dans leur coeur et se sont mis en route.

Myram regarde de nouveau la femme qui lui sourit. Elle pose sa main à son tour sur le coeur de Myram et ferme les yeux. Quelque part, là-bas, au coeur de l'Himalaya, un guide se réjouit de voir deux âmes s'unir en silence dans le désert.

– Qui de nous deux est enceinte ? interroge Myram des yeux.

– Nous trois... répond l'homme. Nous la portons tous les trois. Nous portons l'Étoile.

Myram lève les yeux vers le ciel. L'Étoile a disparu.

– Nous suivons l'Étoile... en nous, répète la voix.

Ils continuent de marcher toute la nuit et toute la journée du lendemain. De temps à autre, ils font halte dans une oasis, boivent de l'eau du puits et font provision de dattes et d'oranges.

L'homme tient maintenant la main de la jeune femme. La route semble tracée à l'avance au milieu de cette vaste étendue de sable. Ils se tournent en même temps vers Myram et lui sourient. Leur regard est si lumineux qu'elle vacille un instant.

– Nous sommes trois et bientôt nous serons mille et mille comme la multitude des étoiles du ciel, dit-elle d'une voix douce, aussi douce que celle qui vient de son ventre. Nous serons multitude sur toute la face de la Terre...

Myram voit la Terre danser devant ses yeux : l'Afrique, l'Asie, l'Océanie, l'Europe, les Amériques. La belle boule bleue, or et blanche tournoie devant elle. Ses mains se tendent. Des rayons d'Étoile en surgissent et Myram l'enveloppe. Elle prend la Terre et l'amène à son coeur. Elle la fait doucement pénétrer dans son coeur et la laisse se fusionner à l'Étoile.

Elle place une dernière fois sa main sur le ventre de la jeune femme et lui rend son sourire.

– Je dois repartir... chuchote-t-elle, à regret.

– Porte l'Étoile au-delà du désert sage... femme, dit l'homme, en s'éloignant.

Le projecteur s'est rallumé. Elle revient au-dessus du désert. Une tache de lumière telle une luciole se déplace à travers les dunes.

Son coeur se remplit d'amour... Myram pense à Amor, qui l'attend sur le lac turquoise. La pensée la ramène instantanément près de lui. Elle n'a plus rien à dire. Les mots seraient superflus. Il pose en silence sa belle main de lumière sur son coeur.

Elle regagne son fauteuil, une main sur le coeur, l'autre sur le ventre. Ses joues sont humides et salées, ses lèvres desséchées par le sable. Ses vêtements sont trempés par la chaleur, ses pieds, nus. Elle se lève pour rallumer le feu. Un peu de sable est tombé sur le carrelage de terre cuite du salon...

– Tiens, de la poussière d'Étoile... constate-t-elle simplement.

Et c'est ainsi que Myram entendit l'appel de l'Étoile en son coeur et se mit en route vers le désert...

# 12 – La Magie divine

Myram est fière de son dernier voyage. Tout d'abord, parce qu'elle l'a fait seule et aussi, parce qu'elle a ramené avec elle tellement de force, de puissance, d'amour et de lumière qu'elle a peine à se reconnaître. Elle a très hâte de revoir Amor, tout en sachant qu'il se présentera au moment où elle s'y attend le moins.

Depuis quelques soirs, elle s'endort en souriant. Sa vie sur Terre a pris un tout autre sens. Elle sait le temps et l'espace élastiques et sans frontières. Elle vit encore seule, mais la solitude ne lui pèse plus. Elle n'a pas encore décidé si elle vendra sa maison au printemps... Elle laisse les événements se dérouler à leur rythme, sans rien précipiter. Elle se sait protégée et guidée.

Le feu vif fait craquer de joie les murs de bois de la maison. Elle s'endort paisiblement, en laissant les images de ses voyages défiler derrière ses paupières. Elle se rend directement vers la pyramide, qui scintille dans l'océan cosmique. Amor l'y attend. Il est assis au centre de la salle illuminée de rayons vert émeraude, dans le lieu même de leur première rencontre. Elle prend place devant lui.

Il la regarde longuement, intensément. Elle soutient son regard et comprend vite que c'est leur dernière rencontre. Une vague d'émotions se soulève en elle. Elle se met à pleurer en silence.

– Ne pleure pas, Myram... Je suis avec toi, dit-il, pour tenter de l'apaiser.

Myram prend conscience de la force de son attachement à lui, un lien aussi fort que le lien qui unit les soleils et les étoiles, aussi ancien que la création des univers.

– Amor, tu m'as enseigné l'amour et la fusion... voici que tu me fais le cadeau du détachement, dit-elle avec amertume.

Myram comprend que son attachement amène en elle la tristesse, l'abandon, le rejet, l'isolement et la peur de perdre. Elle sent une ombre descendre sur elle et la pénétrer. Aussitôt, la forme d'Amor se met à étinceler, jusqu'à devenir pure lumière dorée. De ses soleils jaillissent des passerelles de lumière dorée, qui viennent se poser à la porte des soleils de Myram.

— Myram, tes soleils sont tels des serrures d'or... explique-t-il. Je vais placer une clé d'or dans chacune d'elles.

Il place lentement une clé d'or dans chaque serrure. Puis il retire les ponts.

— Je te donne les clés du détachement. Maintenant, à toi d'agir, dit-il, avec compassion et fermeté.

Myram hésite un instant. Puis, d'une main tremblante, elle tourne lentement, l'une après l'autre, les clés de tous ses soleils. Aussitôt, de puissants geysers de lumière dorée pénètrent en elle et illuminent tout son être. Sa luminosité devient si éclatante qu'elle submerge toute la salle et bientôt toute la pyramide. La lumière qui émane d'elle est d'une telle intensité, qu'elle s'aveugle elle-même.

— Amor... Je te laisse aller, balbutie-t-elle, avec hésitation. Je te remercie...

— Remercie ton âme. Je SUIS avec toi... ajoute-t-il, avant de retourner dans l'univers du silence.

La forme d'Amor s'est dissoute dans la lumière qu'elle porte en elle. Peu à peu, tout redevient normal. Myram voit que son corps prend la forme de celui d'un jeune enfant revêtu d'un kimono de soie. L'Étoile réapparaît et tend ses rayons. L'enfant en elle tend les bras en retour et s'envole sur l'Étoile. Elle ascensionne et fait halte devant le système solaire. L'enfant reconnaît dans chacune des planètes le visage d'une personne aimée, ce qui la fait beaucoup rire.

Le véhicule-Étoile l'amène au-delà des nébuleuses, de la voie lactée, au-delà de l'Au-delà...

— Où allons-nous? demande Myram.

— Je t'emmène chez moi, répond joyeusement l'Étoile. Nous allons visiter ma maison.

— C'est où, chez vous ? demande-t-elle naïvement, comme seuls les enfants savent demander.

L'Étoile traverse le rideau de la nuit et pénètre dans un espace bleu, puis blanc et finalement doré.

— Installe-toi au centre du doré. Ici, c'est chez moi ! dit fièrement l'Étoile.

Des rayons de foudre électrique parviennent au corps de l'enfant, qui se met à grandir, grandir, au rythme de l'éclair. De plus en plus, Myram se rend compte que les rayons magnétiques proviennent de mains géantes qui l'enveloppent. Elle perçoit maintenant l'être qui se tient au bout de ces mains : un mage à la barbe blanche, très longue. Il porte une tunique et un chapeau pointu de couleur violette.

— Qui êtes-vous ? demande-t-elle au géant.

Ses yeux violets projettent des rayons violacés dans les yeux de Myram.

— Je suis un mage divin... Reçois l'essence de la magie divine... s'empresse-t-il d'ajouter avec solennité.

Myram devient aussi grande que lui et se tient maintenant debout devant lui.

— La magie divine te permet de créer, de guérir, de manifester ce que tu veux sur ta planète, poursuit la voix du mage, en écho dans l'espace. Fais-le avec désintéressement. Demeure dans l'énergie du coeur et de la simplicité. Tu commences maintenant une nouvelle vie. Ton seul intérêt est ton évolution et celle des tiens sur ta planète...

Le mage la regarde en silence un long moment.

— Reçois l'initiation de la magie divine... le pouvoir de la création et de la manifestation qui sont déjà en toi, continue-t-il d'une voix profonde, aussi profonde que la nuit des temps.

La foudre traverse Myram dans tout son être. Elle luit telle une améthyste radieuse.

– Sers-toi de ton pouvoir avec discrétion, humilité, simplicité, commande-t-il, avec sérieux.

Le soleil éclate, et son rugissement parvient aux confins de l'Univers. L'initiation a été si puissante que Myram sent la présence du mage divin en elle.

– Renais à ton essence de mage divin... répète une voix dont l'écho lointain semble pourtant très proche. Retourne sur ta planète en allongeant simplement ton corps de lumière, ajoute la voix. En cette fin de siècle et de millénaire, comme vous dites chez toi, ta planète a besoin de mages divins qui oeuvrent dans le silence afin d'aider la Terre à se rebrancher à son essence divine. Tu as terminé ta formation aujourd'hui. Tu es maître de ta vie. Tiens-toi fièrement debout sur ta planète. Éloigne-toi du verbiage terrestre et reste connectée à ton essence... dans le silence.

Myram se retrouve subitement les deux pieds sur Terre, à l'entrée d'une caverne bien terrestre, dans le haut d'un escalier aux marches d'émeraude. Elle descend l'escalier, qui la conduit dans une immense grotte remplie de cristaux et de pierres précieuses. À sa grande surprise, le mage divin l'y attend... au coeur de la Terre... Le Passage de l'Au-delà à l'Au-d'ici se fait à la vitesse de la conscience...

Il lui tend un sceptre d'or, orné de pierres et d'ellipses d'or, à l'intérieur desquelles se trouve une sphère de diamants en suspension. Il lui remet également une cape de lumière veloutée aux lueurs violacées.

– Souviens-toi : demeure simple, discrète et humble, lui rappelle-t-il avec insistance. Ici, au coeur même de la Terre, se trouvent tous les trésors. Utilise-les avec discernement et partage-les avec les autres. Sache qu'à partir de maintenant ton sceptre aura l'apparence d'un bâton de pèlerin aux yeux des autres et que ta cape de lumière aura l'apparence d'un manteau de pèlerin aux yeux des autres.

Le mage disparaît ainsi que la caverne. Myram se retrouve en pèlerinage sur un chemin de montagne ascendant. Elle frappe un rocher de son bâton et il en jaillit un geyser de lumière rose orangé qui émet un son claironnant dans la montagne.

Le chant du coq de la ferme voisine la tire du sommeil. Un rayon de soleil rose orangé, tel un geyser, danse sur son nez. Elle n'ose encore ouvrir les yeux, de peur de chasser la magie du rêve.

– Qui a bien pu déposer ceci à côté de mon lit? demande-t-elle à haute voix, lorsqu'elle ouvre enfin les yeux. Une jolie géode d'améthyste trône sur la table de nuit.

Et c'est ainsi que Myram apprit les clés du détachement ultime, reçut l'essence de la Magie divine et devint maître de sa vie...

*17 janvier 1997*        *8 h 10*

Un épais brouillard blanc recouvre la rivière gelée. D'ici 48 heures, je pourrai marcher sur la glace et traverser en face, sur l'Île. Une Île m'attend quelque part, ici ou ailleurs. À moi de la trouver.

# 13 – La naissance du Dragon

Myram repense au chemin parcouru avec Amor. Il lui a enseigné à se détacher, à se libérer de ses ressentiments, à devenir attentive au miroir et à ouvrir son coeur. Il lui a appris à ascensionner, à être à deux endroits en même temps, à pénétrer dans les autres dimensions et à voyager dans l'Au-delà. Par-dessus tout, il lui a montré à devenir autonome, à se passer de guide et à suivre désormais la voix de son âme et de son être.

Maintenant que Myram a décidé de vendre sa maison au printemps, elle se laisse aller plus souvent à rêver à ce qu'elle fera par la suite. Les jours passent et elle continue ses voyages exploratoires. Un matin, elle ressent une douleur particulière au ventre.

– Je ne sais pas ce qui m'arrive... se dit-elle. J'ai l'impression d'avoir des contractions.

Elle dépose le bois d'érable près du feu crépitant, enlève son manteau et se laisse tomber sur le fauteuil, les pieds ancrés au sol. Son front est couvert de sueurs.

– On dirait que j'ai de la fièvre, se dit-elle, en touchant ses tempes.

– Va te placer devant ton ventre, lui suggère la voix de son âme.

Elle obéit, car la douleur s'intensifie.

– À présent, observe bien la façade externe du soleil de ton abdomen et prépare-toi à y entrer, poursuit la voix.

La chaleur qui émane de ce soleil est intense, comme celle des fours où l'on fait fondre les métaux. Elle hésite un instant devant l'entrée.

– Rassure-toi, tu es protégée. Vas-y, entre ! continue la voix de son âme.

Elle pénètre dans un large couloir circulaire et descend un

escalier en pente douce. Une lumière dorée, qui semble provenir d'en bas, irradie sur les murs, une couleur ocre orangé.

– Continue, va jusqu'au centre... dit la voix guide.

Elle descend longuement avant d'arriver à une vaste grotte illuminée. Ses yeux s'adaptent lentement à la lumière, puis elle commence à distinguer ce qui se trouve au centre. Elle entend d'abord des sons mélodieux, répétés comme une incantation au cours d'un rituel. Au timbre grave des chants, elle sait qu'il s'agit de voix masculines. Elle se sent envoûtée par la vibration sonore, qui lui fait oublier l'étrangeté et surtout la chaleur intense de l'endroit.

– Approche-toi lentement et ouvre bien les yeux... poursuit la voix de son âme.

Elle distingue trois personnages gigantesques qui forment un cercle. Le cercle tourne très lentement et harmonieusement sur lui-même, comme pendant un rituel sacré.

– Quels beaux visages ! se dit-elle, éblouie par la beauté des êtres.

Leurs visages ronds, aux formes pures, ressemblent davantage à ceux des dieux dans leur plus haute représentation. Les visages parfaits semblent faits d'or pur, et leur seule contemplation devient inspirante. Ils portent chacun un large manteau. Sous ces manteaux, ils se tiennent les bras comme des danseurs russes, ce qui donne l'effet, à l'extérieur, d'une pyramide à trois côtés surmontée de têtes d'or. La luminosité éclatante ne provient pas seulement de leurs visages ; elle paraît concentrée aussi au centre de leurs manteaux.

– Centre-toi sur la pureté de ton intention, Myram, dit son âme, et demande-leur de te permettre de voir ce qu'ils encerclent.

Myram se centre en son coeur et en sa conscience. Elle fait sa demande par télépathie. Elle n'ose s'approcher de trop près, car ils ont la taille d'un édifice. D'un commun accord, ils s'écartent légèrement les uns des autres.

– Qu'est-ce que c'est ? se demande-t-elle, les yeux grands ouverts d'incrédulité.

Une sphère transparente se tient en suspension au-dessus des flammes d'un doré violet. Elle brille de mille feux multicolores, traversée de courants semblables à ceux de la foudre. Au centre de la sphère, Myram distingue une forme qu'elle n'ose identifier.

– Mais oui, Myram, c'est exactement ce que tu crois... dit son âme. C'est un dragon. Tu assistes à la gestation d'un dragon.

– ...

– C'est ton dragon! insiste l'âme. C'est le dragon de ton pouvoir personnel et de ta créativité! Il t'apportera la plus haute transmutation de ton essence. Prépare-toi, car tu vas maintenant assister à la naissance du dragon.

Les sages-dieux se rapprochent de nouveau et intensifient leur danse et leurs chants sacrés. La lumière et les flammes deviennent plus fortes. La sphère est soulevée sous la poussée des flammes doré violet et propulsée lentement vers le haut.

Myram ressent chaque mouvement de la sphère en son corps. Elle s'accroche au feu qui crépite dans le salon et s'agrippe solidement au fauteuil. La sphère se fraye un passage, monte au plexus, au coeur, à la gorge, au cerveau et émerge de la fontanelle en grondant. Myram la suit au-delà de la galaxie... La sphère éclate en millions de particules de poussière, qui se fondent aux étoiles. Un immense dragon noir bleuté et lumineux, au ventre d'or, vient de naître. Il déploie majestueusement ses ailes et poursuit son odyssée vers l'Infini.

– Ne t'en fais pas, Myram... il reviendra, assure son âme. Il doit d'abord aller rejoindre les siens, là où il ne t'est pas permis de te rendre... pour le moment.

Myram le suit des yeux aussi longtemps qu'elle peut. Elle pleure doucement, comme une mère pleure lorsqu'elle vient de donner naissance à son bébé. Elle revient dans la grotte. Les sages-dieux ont disparu, mais le feu doré violet veille, plus vif que jamais. Elle remonte le couloir jusqu'à la façade de son ventre.

La fièvre a baissé et se répand uniformément dans son corps. Elle se lève, va chercher du papier, des fusains de couleur, des stylos et vient se rasseoir. Elle s'emmitoufle dans ses couvertures de laine chaude et commence à dessiner le dragon d'or, les sages-dieux, l'Étoile...

– Comme si c'était une prière... souffle son âme.

**Et c'est ainsi que Myram apprit la transmutation, puis donna naissance au dragon de son pouvoir personnel créateur...**

«La naissance du dragon»
*Sylvie Paradis 1997*

*17 janvier 1997*     *9 h 36*

Une tempête de glace s'est levée sur la rivière et emporte tout avec elle. Le bois chante dans les flammes au rythme de mes arabesques sur le papier.

# 14 – Dialogue avec Gaïa

Myram dessine toute la journée et ne voit pas le temps passer. Elle remarque à peine l'arrivée de la nuit, si ce n'est à cause d'une douce fatigue qui descend sur elle et la conduit à sa chambre. Elle s'allonge sur son lit accueillant et s'endort à l'instant. Elle fait un rêve étrange, un rêve magique.

Elle se retrouve assise au centre d'un dôme de cristal suspendu au-dessus d'un lac turquoise, entouré de montagnes. La lumière argentée de la lune traverse le dôme transparent et l'inonde de ses rayons. Myram s'élève doucement dans la nuit, au-dessus des montagnes, jusqu'à ce qu'elle perçoive clairement la planète bleue. Ce soir, la planète est transparente comme une boule de cristal. Au centre de la Terre se tient Gaïa, l'âme gardienne.

– Cesse de t'inquiéter pour la Terre, lui recommande avec fermeté Gaïa. Je m'en occupe. Tu t'en fais trop pour la planète. Aime-la tout simplement... Projette-lui de la lumière et aime-la...

– Gaïa, je perçois des fils qui relient la Terre à d'autres planètes, d'autres soleils. Plusieurs de ces fils sont coupés, rétorque Myram, inquiète. Tu es à l'intérieur de la Terre, tu ne perçois pas les trous qui ont été créés dans le réseau magnétique. Il faut réparer ces filages. Il faut retricoter cette cotte de mailles effilochée qui entoure la planète si nous voulons maintenir son équilibre.

– Je comprends, répond Gaïa d'un ton plus conciliant. Va faire un tour là-haut et reviens m'informer de ce que tu y auras trouvé.

– Je te remercie de garder le coeur de la Terre, dit Myram, en poursuivant son ascension.

Myram perçoit clairement les liens qui relient toutes les

parties de l'univers entre elles. Tout se tient. Lorsqu'un déséquilibre se crée dans l'une de ses parties, si minime soit-il, il entraîne des répercussions sur l'ensemble.

Elle ascensionne bien au-delà de notre système solaire. Elle nage dans l'océan cosmique loin, très loin, entourée de nébuleuses, d'autres systèmes solaires, d'étoiles au nombre infini.

– Mais... je suis en train de devenir une constellation d'étoiles ! lance-t-elle en riant, surprise de cette transformation soudaine. Je suis devenue étoiles, essence d'étoiles en mouvement. Voilà ma réelle identité ! J'existe en tant que constellation-entité d'étoiles quelque part dans ce vaste océan cosmique...

Myram constate qu'elle est entourée d'autres constellations vivantes reliées entre elles et pourtant autonomes.

– Prends conscience de la différence entre les constellations d'étoiles et les systèmes solaires, lui souffle son âme. Les systèmes solaires sont stables alors que les constellations sont en mouvement perpétuel... et pourtant, ce mouvement se doit de rester en harmonie avec le Grand Tout.

– Mais comment rester en harmonie ? demande Myram, n'osant plus bouger.

– C'est très simple... suggère son âme. Descends au coeur de ta constellation : c'est là que tu trouveras la fibre d'étoiles, celle-là même que tu vas rapporter pour refaire les mailles de l'enveloppe terrestre.

– Si je comprends bien, le filage d'étoiles est tissé de fibres d'amour... prononce lentement Myram, en se berçant doucement avant de se laisser descendre jusqu'à la Terre.

À l'aide de ses mains de lumière, elle répare habilement le tissu effiloché.

– Qu'en penses-tu, Gaïa ? demande-t-elle malicieusement à la gardienne, en terminant son travail.

– Je t'avais dit de ne pas t'inquiéter... Merci tout de même, dit-elle, en lui faisant un clin d'oeil complice. Maintenant que tu sais où aller chercher la fibre d'étoiles, peut-être pourras-tu l'utiliser pour réparer d'autres endroits ? ou d'autres choses ? ou d'autres êtres ?

— Que veux-tu dire exactement ? demande Myram, perplexe.

— Tu viens d'accomplir ce qu'Amor t'a enseigné de plus précieux : incarner l'amour sur Terre. Tu commences à t'incarner, Myram ! dit-elle avec humour. Tu commences à t'incarner sur Terre, chère âme...

Gaïa fait tournoyer la planète bleue devant les yeux ravis de Myram. Une lumière s'allume çà et là au Passage, indiquant le chemin à suivre. Des points précis scintillent sur tous les continents. La voie du coeur...

— Ta route est tracée, Myram. Tu n'as qu'à venir placer la fibre d'étoiles sur chacune de ces lumières. Elles t'attendent ! lui dit Gaïa avant de disparaître.

Myram ouvre péniblement les yeux ce matin, un peu à regret.

— Oh ! Quel rêve ! Comme c'était beau, ce chemin d'étoiles sur la Terre ! se dit-elle en se levant.

Le soleil chaud, annonciateur du printemps, l'invite à le rejoindre dehors dans la lumière du matin. La Terre absorbe déjà les dernières couches de neige immaculée. Bientôt, les crocus et les trilles perceront la neige. La blancheur du sol est si intense que les yeux de Myram ne peuvent s'empêcher de plisser. Et là, ô merveille, sous ses yeux aveuglés par la luminosité, des milliers d'étoiles multicolores s'allument en couvrant le tapis glacé et clignent des yeux en retour.

— Comme c'est beau, ce chemin d'étoiles sur la Terre ! dit-elle en souriant, au milieu de ses larmes.

Et c'est ainsi que Myram apprit à tisser la fibre d'étoiles provenant du coeur de sa constellation...

# Table des matières

# Sarah Diane Pomerleau

## notes biographiques

Native du Québec et résidente de la Terre, Sarah Diane Pomerleau est auteure, éditrice et psychothérapeute. Elle est diplômée de l'Université de Montréal en éducation (M.Éd.). Elle est l'auteure de *L'Au-d'Ici vaut bien l'Au-delà*. Par ses ouvrages et son travail, Sarah Diane Pomerleau veut inciter les êtres à reconnaître leur identité, à éveiller leur véritable essence, à retrouver la voie de l'autonomie et de la liberté, à devenir ce qu'ils sont, à Être...

Des années d'expertise et de recherche dans le domaine de la psychothérapie lui ont permis de créer une approche originale alliant l'inconscient, la guérison, l'intuition, l'instinct et la spiritualité : l'*Exploration du Passage de la Mort à la Vie consciente*.

Elle est fondatrice de Samsarah International inc., un centre de recherche et d'enseignement qui offre des séminaires de formation. Ces séminaires comprennent un apprentissage holistique, théorique et pratique, permettant aux intervenants d'accompagner les êtres à explorer le Passage. Ils se tiennent dans de hauts lieux d'énergie et sont souvent jumelés à la rencontre et/ou à la nage avec les Dauphins en liberté.

Le Centre offre également des formations en Interprétation des Rêves et anime aussi des ateliers sur l'utilisation des Énergies Runiques pour le développement du Pouvoir personnel.

Pour tout renseignement concernant les activités du Centre, ou tout simplement pour communiquer avec Sarah Diane Pomerleau :

C.P. 312

Saint Jean sur-Richelieu (Québec)

Canada  J3B 6Z5

*téléphone :* (514) 358-5530

*télécopieur :* (514) 359-1165

*courrier électronique :* sarah@bxx.com

Le corps du texte est en Libre Semi Sérif 11,5 points

Achevé d'imprimer sur les presses de
l'Imprimerie Gagné à Louiseville, Québec,
en août 1997.